De tasjesdief

Van Mieke van Hooft verscheen eerder:

Kijk naar je eigen (1979)
Kan ik er wat aan doen? (1981)
In het bos verborgen (1983)
Wat zeg je me daar van (1984)
Weg met de meester (1985)
De tasjesdief (1989)
Nachtlopers (1991)
Piratenfeest (1993)
Kinderen ontvoerd (1993)
Het doorgezaagde meisje (1994)
Treiterkoppen (1995)
Straatkatten (1996)
Hier waakt de goudvis (1998)
Truc met de doos (1998)

Voor peuters en kleuters schreef ze:

Dag baby (1988)
Allemaal naar de speelzaal (1989)
Koekjes in de kerstboom (1990)
Zwarte Piet ... Kiekeboe! (1992)
Sebastiaan (1985)
Sebastiaan rare banaan (1987)
Sebastiaan blauwe billen (1992)
Het grote boek van Sebastiaan (1999)
Oppasdag (1997)
Roza je rok zakt af (1997)
Roze je hoed waait weg (1999)

Mieke van Hooft

De tasjesdief

Uitgeverij Holland – Haarlem

Eerste druk: april 1989
Tweede druk: augustus 1989
Derde druk: januari 1991
Vierde druk: februari 1995
Vijfde druk: augustus 1995
Zesde druk: augustus 1997
Zevende druk: mei 1999
Achtste druk: april 2003
Negende druk: maart 2007

Foto's omslag © Shooting Star Filmcompany BV, Amsterdam, 1995
Ontwerp omslag: Ivar Hamelink, Haarlem
Tekeningen van Ruud Bruijn

© U.M. Holland – Haarlem, 1989

Paperback filmeditie
ISBN 978 90 251 0728 4

Hoofdstuk Een

Elke vrijdagmiddag ben ik bij Roos. Daarom begint deze ellendige geschiedenis ook op vrijdag. Mijn moeder vindt het raar en ongepast dat ik oma bij haar voornaam noem. Maar mijn moeder vindt zovéél dingen ongepast aan mij. Ongepast en raar. En ík vind het raar van haar dat ze iedere vrijdagmiddag met haar vriendinnen theedrinkt en praat over slank worden. Ik zeg altijd dat ze gewoon minder moet eten, maar mijn moeder heeft meer vertrouwen in sherrykuren, brooddagen en biefstukdiëten. Ik denk wel eens dat ze zo langzamerhand alle diëten heeft geprobeerd die er bestaan, maar iedere vrijdagmiddag is er wel weer een vriendin die een nieuwe manier van afslanken weet: een waterdieet, een fruitdieet en laatst begon mijn moeder aan een azijndieet. Noem het maar gerust een sacherijndieet. Mijn moeder zag er uit alsof ze nooit meer zou kunnen lachen en ze is geen gram afgevallen. Maar goed, om dus al dat gezeur te ontlopen, ga ik iedere vrijdag meteen na school naar Roos.

De dag waarop alles begon, was ik extra vroeg uit school. Bijna het hele stuk naar Roos had ik gerend. Pas toen ik in haar straat kwam, ging ik langzamer lopen. Mevrouw Geultjes of Peultjes – een buurvrouw van Roos – zwaaide met haar armen alsof ze het verkeer aan het regelen was. Ze droeg een geel regenjack, terwijl het kurkdroog was. Ik keek naar de lucht. 'Verwacht u een bui?' vroeg ik. Ik had geen jas meegenomen.

'De jonge padden steken over,' zei ze. 'Pas op, pas op! Halt!' Ik draaide me om. Mevrouw Geultjes liep nu op het midden van de weg. De automobilist die de straat in wilde, trapte op de rem. Mevrouw Geultjes of Peultjes legde haar hand op de motorkap alsof ze daarmee kon voorkomen dat de man gas zou geven. 'Stop meneer!' schreeuwde ze.

De automobilist draaide het zijraampje naar beneden en stak zijn hoofd naar buiten. 'Mevrouw, wat doet u?' schreeuwde hij terug.

'De jonge padden steken over. Alstublieft meneer, rijdt u achteruit.' De man kwam uit zijn auto en op dat moment zag ik ze, een meter of vijf verderop: honderden, misschien wel duizenden piepkleine padden die de weg overstaken. Half springend, half lopend bedekten ze de straat als een tapijt. Ik was te verbaasd om iets te zeggen. Zoiets had ik nog nooit gezien.

'Zoiets heb ik nog nooit gezien', zei de man van de auto. 'Is dit normaal? Of is er iets met het water aan de hand?' Tegenover de huizenrij was een dijk met daarachter een wiel, een water. Je zag het paddentapijt de dijk af kruipen.

Mevrouw Geultjes schudde geruststellend haar hoofd. 'Volkomen natuurlijk,' zei ze. 'Ieder jaar komen er jonge padden uit het water om op het land volwassen te worden. Het vervelende is alleen dat je nooit precies weet wanneer ze zullen komen, zodat er veel worden overreden. Je moet maar toevallig zien dat ze oversteken, dan kun je misschien wat auto's laten stoppen.'

Er kwam weer een auto aan. Met haar armen zwaaiend liep mevrouw Geultjes er op af. Nog een geluk dat het hier een éénrichtingsweg was.

Ik besloot snel naar Roos te gaan. Ze woonde al wel

jaren tegenover het wiel, maar het was niet gezegd dat
ze wel eens een paddenoversteek had gezien.

De snelste padden waren nu bijna de straat over, maar
hadden het trottoir nog net niet bereikt.

Voor de deur van Roos stond een Zundapp. Ik had
nauwelijks de gelegenheid om me af te vragen van wie
die kon zijn of dat Roos misschien bezoek had, want
de voordeur werd opengerukt en twee jongens stormden
naar buiten. De ene was lang, had blond sluik haar en
een bleek gezicht. Ik schatte hem een jaar of vijftien,
zestien. De ander was jonger, van mijn leeftijd, ook
blond, maar had een veel ronder gezicht. Hij kwam me
bekend voor, maar ik wist niet wie hij was.

Het was net alsof ze van me schrokken. De lange gaf me een duw zodat ik bijna omviel. Ik wilde terugduwen maar dacht toen plotseling aan de padden. 'Pas op,' schreeuwde ik. De lange sprong op de brommer. Hij boog zich naar de grond. Hij had het paddentapijt inmiddels gezien. De beestjes krioelden rond de wielen van zijn brommer. 'Ga zitten!' snauwde hij naar de andere jongen. 'Wat sta je daar nou te kijken?'

'Pas op,' schreeuwde ik weer. 'Man je rijdt ze dadelijk dood, idioot die je bent!'

De kleinere jongen liep plotseling naar het midden van de straat en begon als een gek rond te stampen op de jonge padden.

Ik kon niets doen. Ik zat vast aan de grond. Ik had zelfs geen stem meer om mee te schreeuwen.

Toen rende de jongen naar de brommer en sprong achterop. De lange had al gestart en vol gas scheurden ze over het paddentapijt de straat uit. Woedend riep mevrouw Geultjes ze iets onverstaanbaars na.

Roos was niet in de kamer, niet in de keuken. Ze was er wel geweest, want op tafel stond een pan melk en het kookboek dat er naast lag, was opengeslagen bij het recept van chipolatapudding.

Krijg ik thuis nooit want daar wordt mijn moeder dik van.

'Roos?'

Waarom was ze er nou niet.

Ik rilde. Van kwaadheid? Van schrik?

Die halfzachte trapte daar op die padden alsof het zandkorrels waren!

'Roos!'

Ik keek door het keukenraam om te zien of ze misschien in de achtertuin was, maar daar was niemand. Ik smeet de deur naar de gang open, stootte een paraplubak om en rende de trap op.

Boven, in een kamer vol rotzooi, vond ik Roos, vastgebonden aan de verwarming.

'Roos, Roos!' Ik huilde zowat van angst. Ze kon zich niet bewegen, op haar hoofd na, dat ging op en neer, alsof ze iets wilde zeggen. Haar mond was dichtgeplakt met een pleister.

Ik vind het afschuwelijk om een pleister los te trekken. En een pleister los trekken bij Roos was net zo afschuwelijk als een pleister los trekken bij mezelf. Ik voelde hoe ik met de zuigende plakrand kleine haartjes van haar huid afscheurde.

'Gelukkig,' zei Roos. 'Ik wist dat je gauw zou komen.'

'Wat is er geb . . . geb . . . gebeurd,' bracht ik uit. 'Ben je overvallen? Door die twee jongens?'

'Maak eerst mijn handen los,' zei Roos. 'En probeer eens niet zo zenuwachtig te doen. Kalmte kan een mens redden.'

Kalmte kan een mens redden. Wat was dat nou voor opmerking. Met trillende vingers probeerde ik haar handen los te maken. Na veel moeite lukte het.

'Mooi,' zei Roos. En ze maakte zelf haar voeten los.

Ik keek om me heen. Alle deuren en laden van de kasten stonden open en overal – waar je ook keek – lagen neergesmeten spullen. Kleren, foto's, brieven, een stuk zeep, boeken. Zelfs op mijn kamer was het nog nooit zo'n rotzooi geweest.

We gingen naar beneden. Voor de spiegel in de hal bleef Roos staan. Ze keek zichzelf aan. Daarna duwde ze met twee handen haar bril omhoog en wreef ze in haar ogen. Ze zocht mij in de spiegel. 'Het heeft geen zin, Alex, om zenuwachtig te doen en in paniek te raken. Dat verandert niets aan de situatie.'

Ik ging achter haar staan. 'Maar waarom vertel je niet wat er is gebeurd. Ik mag toch wel weten wat er aan de hand is?'

Roos draaide zich om en pakte me vast bij mijn schouders. Ze keek me aan. Ze heeft groene ogen, net als ik. De stevige manier waarop ze me vasthield en de blik in haar ogen, maakte dat ik me een beetje ontspande maar ik had nog steeds een raar prikkend gevoel in mijn nek en ik rilde hoewel ik het warm had.

Roos pakte me bij de hand en nam me mee naar de keuken. Dat waren maar vier stappen, maar ik besefte ineens dat het jaren was geleden dat ik met iemand hand in hand had gelopen en dat het een prettig gevoel was. In de keuken liet ze me los. Ze keek naar de pan met melk en het kookboek. Daarna schoof ze een stoel naar me toe. 'Ga zitten,' zei ze. 'Ik ga eerst even pudding koken.'

'Pudding koken!' Ik schreeuwde zo hard dat het buiten te horen moest zijn.

'Ja, pudding koken!' Nu schreeuwde Roos ook. 'Luister goed naar me, Alex. Ik begrijp best dat je wilt weten wat er is gebeurd. Ik zal het je ook vertellen. Maar ik moet eerst zelf orde scheppen in de chaos in mijn hoofd. Mag dat alsjeblieft.'

Ik knikte.

'Je mag me helpen met de pudding. Je mag ook hier op die stoel gaan zitten.'

Ik ging zitten.

Duizend gedachten besprongen me.

Ik stond op. Mijn stoel schoof piepend over de keukenvloer. Ik ging naast Roos staan en keek samen met haar in het kookboek.

'Wil je de vruchtjes snijden?' vroeg ze zonder op te zien.

Ik gaf geen antwoord.

Roos maakte een paar kastjes en een la open en legde een plankje, een mes en een doosje met gekleurde kersjes voor me neer op tafel.

Ik bleef er even naar staren.

'Ik heb ze over vijf minuten nodig,' zei Roos.

Toen maakte ik het doosje open.

De kersjes kleefden aan elkaar. Ik legde ze op een rijtje op de plank. Mijn vingers kleefden en toen ik ging snijden kleefde het mes ook. 'Hier,' zei Roos. Ze strooide wat meel op de plank. Ik pakte een groen kersje en rolde het door het meel totdat het helemaal wit was. De gedachten in mijn hoofd waren net zo met elkaar verward als de samengeklonterde kersjes.

Hoofdstuk Twee

De chipolatapudding stond in een gele vorm op te stijven op het aanrecht. Ik waste mijn handen. Ik liet het water met een harde straal, wit en bruisend, in de gootsteen spatten. Daarna draaide ik de kraan zorgvuldig dicht en droogde ik mijn handen aan de blauwgeblokte handdoek die aan een haakje hing.

De fluitketel begon te gillen als een jammerende kat. Roos draaide het gas uit en pakte een theezakje uit een blikje. Ze maakte het zakje vast aan het oor van de theepot en goot het kokende water in de pot. Ik ging zwijgend op een keukenkruk aan tafel zitten. Pas toen we allebei een beker dampende thee voor ons hadden staan, begon Roos te praten. Ze sprak langzaam, met een zachte stem, en haar woorden klonken aarzelend, alsof ze intussen nadacht.

'Alex, ik wil je eerst iets vragen.'

Ik trok de suikerpot naar me toe en deed suiker in mijn thee. Ik antwoordde niet. Ik voelde me raar. Niet boos, maar wel zoiets. Boos en bang tegelijk, denk ik.

'Alex, ik wil dat dit tussen ons blijft.'

Nu keek ik op.

'Je moet hier met niemand over praten. Wat gebeurd is, is gebeurd. We moeten proberen dit zo snel mogelijk te vergeten.'

'Maar wat is er dan precies gebeurd?'

In de woonkamer sloeg de klok. Vijf keer, telde ik. De slagen galmden na. Roos keek me aan. 'Ik ben overvallen, dat wist je al. Heb je die twee jongens nog gezien?'

Ik knikte.

'Ze kwamen achterom, via de keukendeur. Ze vroegen om geld. Ik zei: dat heb ik niet. Toen hebben ze me vastgebonden aan de verwarming. Ze hebben alles overhoop gehaald.'

'Hebben ze iets meegenomen?'

Roos nam met twee handen de beker thee op en dronk met kleine teugen. De glazen van haar bril besloegen. 'Ja . . . ze hebben iets meegenomen. Ik heb zelf gezien dat ze het uit de kast pakten . . . Ze hebben mijn geld. Ik slikte en slikte. Er zat een grote brok in mijn keel. Ik kende Roos voornamelijk vrolijk en opgewekt. Nu leek ze een treurige grijze muis. 'Was het véél?' vroeg ik. En ik hoopte dat ze nee zou zeggen. 'Was het veel,' herhaalde Roos. 'Och, wat voor de een veel is, is voor de ander weinig. Ik wil er niet meer over praten.' Ze dronk de beker leeg en zette hem met een bons midden op de tafel.

Ik probeerde te bedenken wat ik moest zeggen. Wat moet je doen als je bent bestolen?

'Je moet het aangeven bij de politie.'

'Nee!' Het klonk zo krachtig dat het duidelijk was dat ze geen enkel tegenwoord wilde. 'Ik zeg het niet tegen de politie en ik zeg het niet tegen je moeder. Ik heb het aan jou verteld en zelfs dat had ik misschien beter niet kunnen doen. Wat zal de politie zeggen? "Maar mevrouw, u weet toch wel dat uw centjes niet veilig zijn in uw linnenkast. Het is uw eigen schuld mevrouw." En je moeder, je moeder Alex, zal woedend zijn. Ze zal zeggen: "Zie je wel dat je niet meer voor jezelf kunt zorgen. Als een dom oud mens stop je je geld tussen de zakdoeken." Ze zal bang zijn dat ik opnieuw word overvallen. Ze zal zich van alles in haar hoofd halen en me laten inschrijven voor een bejaardenhuis.' Ik schrok. En ik wist dat ze gelijk had. Vorig jaar was er nog een daverende ruzie geweest tussen mam en Roos. Roos had een pannetje melk laten droogkoken. Toevallig was mama die dag langs gekomen en had ze de zwartgeblakerde pan gezien. Ze kreeg onmiddellijk allerlei visioenen van brandende huizen en dergelijke. Ze zei dat het onverantwoord was dat Roos alleen woonde, dat ze toch ook een dagje ouder werd en dat ze eens moest toegeven dat de ouderdom nu eenmaal met gebreken komt. Roos is tweeënzeventig. Dat klinkt oud. Als iemand tegen mij zou zeggen: 'Ik heb een oma van tweeënzeventig' dan zou ik me een oud vrouwtje voorstellen met een gebogen rug, grijs haar en een rolletje pepermuntjes.

Roos heeft grijs haar, maar ze ziet er helemaal niet oud uit. Ik beschouw haar ook helemaal niet als een oud mens. Ik sta er nooit bij stil dat ze oud is. Het idee dat mam haar in een bejaardenhuis wil laten plaatsen vind ik dan ook belachelijk.

Ik pakte Roos' hand. 'Ik zou ook niet in een bejaardenhuis willen wonen,' zei ik.

Roos glimlachte. 'Sommige mensen vinden het er heerlijk. Maar zo'n huis is niets voor mij. Je moeder zou dat toch moeten weten.' Ze staarde naar buiten en gaf een paar klapjes op mijn hand. Toen keken haar ogen weer in de mijne. 'We praten nergens meer over. We vergeten dat dit is gebeurd. Goed?'

'Maar je geld,' zei ik. 'Als de politie de daders kan pakken, krijg je misschien ook je geld terug.'

Roos lachte schamper. 'Dat geld is eerder uitgegeven

dan de politie het heeft gevonden.' Ze stond op, fier rechtop. 'Geld maakt niet gelukkig, en het zal die twee jongens ook niet gelukkig maken. Wil je me soms helpen om boven de boel weer een beetje in orde te maken?'
Ik knikte en dronk snel mijn beker leeg.
'Kom dan,' zei Roos en ze gaf me weer een hand. Zo gingen we samen de trap op. Misschien vond zij het ook eng, net als ik. Hand in hand bleven we op de overloop staan. Door de openstaande kamerdeur zagen we de enorme troep, de chaos die de twee jongens hadden achtergelaten.
Van beneden klonk geluid. Een deur viel dicht. Ik voelde dat Roos net zo schrok als ik.
Voetstappen, daarna een stem. 'Oehoe!' Het was een vrouwenstem. Opgelucht rende ik de trap af. Roos volgde.
''t Is mevrouw Geultjes,' riep ik toen ik de vrouw in het gele regenjack in de keuken zag staan.
'Geultjes?' herhaalde ze. 'De Beer, zul je bedoelen. Ik ben mevrouw de Beer.'
'O, pardon. Dat wist ik niet.' Ik werd rood tot in mijn nek.
'Dag mevrouw de Beer,' begroette Roos. Ze keek door het raam. 'Regent het?'
'Nee hoor,' antwoordde mevrouw de Beer. 'Het is stralend weer.' En in een adem ging ze verder tegen mij: 'Kende jij die jongens? Wat was dat voor belachelijk gedoe? Had je ze niet kunnen tegenhouden? Ik probeer het verkeer om te leiden om padden te redden en zij trappen godallemachtig die beesten dood!' Ze stopte even om naar adem te happen.

'Wat was dat dan?' vroeg Roos.
Ik had geen moment meer aan de padden gedacht.

Hoofdstuk Drie

Ik heb woord gehouden en thuis niet verteld wat er die middag bij Roos was gebeurd. In het begin was dat niet zo moeilijk. Om mijn mond te houden bedoel ik. Mam liep zingend door het huis en was super enthousiast over een nieuw dieet, het zogenaamde worteldieet. Daar werd je niet alleen slank van maar het gaf je huid ook een prachtig kleurtje. Alsof je op vakantie was geweest naar de Canarische Eilanden.

Pap had Chinees gehaald, lekker veel bami en tjap tjoy, daar ben ik dol op. We hebben heerlijk gesmikkeld, mam ook, want haar nieuwe dieet zou pas de volgende dag beginnen. En daarna was er een spannende film op t.v. Omdat het vrijdag was, mocht ik kijken.

Maar toen, na die film, toen ik in bed lag . . . Ik heb me – geloof ik – wel honderd keer omgedraaid. En maar stompen in mijn kussen en maar sjorren aan mijn dekbed. Ik zag steeds Roos voor me zoals ze daar zat vastgebonden aan de verwarming. O, als mam het eens wist. Ze zou geen seconde rust meer hebben. En papa? Hoe zou die reageren? Het had geen zin om daar over te piekeren. Als ik het aan hem vertelde, zou hij het direct aan mam doorbrieven.

Ik hoorde beneden in de gang de telefoon rinkelen. Even later klonk de stem van mijn moeder, zo gedempt dat ik er geen woord van kon verstaan. Kort daarna hoorde ik haar voetstappen op de trap. Mijn kamerdeur kierde open. Het licht van de lamp van de overloop viel precies op mijn gezicht. Mam deed de deur verder open. 'Alex?' Hoewel ze kon zien dat ik wakker was, sprak ze met een fluisterstem. 'Slaap je nog niet?'

Ik ging rechtop zitten. 'Nee. Wat is er?'

'Er is telefoon voor je.'

'Voor mij?'

'Ja, een jongen van school denk ik. Ik zei dat hij morgenochtend maar terug moest bellen maar hij wilde je per
se vanavond spreken.'

Ik gleed mijn bed uit, stomverbaasd. Ik had er geen idee
van wie mij op dit tijdstip nog moest bellen. Sommige
mensen hebben vrienden die op de gekst mogelijke mo-
menten bij hen op de stoep staan of aan de telefoon
hangen. Maar zulke vrienden heb ik niet, àls ik al vrienden heb. Een jongen van school had mam gezegd. Een
paar namen flitsten door mijn hoofd.

De hoorn lag op het plankje waar de telefoon op stond.
Ik schraapte mijn keel. 'Ja, hallo, met Alex.'

Aan de andere kant van de lijn werd niet geantwoord
maar ik hoorde dat er iemand was. Er klonk een harde
tik, zoals dat gebeurt wanneer je iemand vanuit een te-
lefooncel belt en je kwartje valt in de geldautomaat. Ik
keek om. Mam stond op de drempel maar toen ze mij
zag kijken zei ze: 'Maak het niet te laat' en liep de huiskamer in.

'Ja, hallo . . . wie is daar?' vroeg ik, en mijn hart begon
in mijn keel te kloppen. Een raar voorgevoel maakte dat
ik plotseling begreep wie mij belde, nog voordat er een
woord was gesproken.

'Dag Kippebotje.'

Ik slikte.

'Ben je daar nog?'

'Kippebotje' is mijn bijnaam. Al jaren spaar ik botten

en schedels van dieren. Ik heb het complete skelet van twee katten, een konijn, een kip en nog wat kleinere beesten. Mijn moeder vindt het een afgrijselijke hobby. Op school denken sommige kinderen dat ik geschift ben. Jaren geleden, ik denk dat ik in groep vijf zat, heb ik een spreekbeurt gehouden over de skeletopbouw van verschillende dieren. Ik had het kippeskelet meegenomen. Alleen de meester vond het een interessante spreekbeurt. De kinderen zaten maar wat te ginnegappen. Sindsdien heb ik dus die belachelijke bijnaam.

'Ben je er nog?'

'Ja-a.' Ik schraapte mijn keel.

'Woont je oma daar?'

Het leek een vraag die uit de lucht kwam vallen, maar ik wist dat ik alleen met 'ja' kon antwoorden.

'Heb jij je kop opengedaan?'

Van deze vraag begreep ik niets.

Hij herhaalde het: 'Heb jij je kop opengedaan?'

'Hoe be-bedoel je?' stamelde ik.

'Of je hebt verteld hoe ik heet?'

'Maar hoe heet je dan?' Het zweet kroop in mijn handen. Ik probeerde me de gezichten van de twee jongens voor de geest te halen. De ene jongen was lang, de andere een stuk kleiner. De kleine had een rond gezicht, een beetje onschuldig, baby-achtig met grote, blauwe ogen. Hij was me bekend voorgekomen, dat wel, maar ik wist op dat moment absoluut niet hoe hij heette.

Het bleef weer even stil aan de andere kant. 'Moet je horen,' klonk het toen dwingend. 'Morgenochtend om half elf ben je in het speeltuintje achter het voetbalveld.'

Het speeltuintje achter het voetbalveld ... Dat was bij

Café de Sport, dat kende ik wel.

'Maar,' begon ik.

'Geen gemaar. Je zorgt dat je er bent. En o wee als je je kop open durft te doen. Dan ziet het er niet best voor je uit.'

De verbinding werd verbroken.

Ik staarde naar de sticker met alarmnummers die op het telefoontoestel was geplakt. Ik legde de hoorn op de haak. Langzaam begonnen de televisiegeluiden vanuit de huiskamer mijn oren binnen te dringen. En toen wist ik het: Evert de Wolf!

IJskoud kroop ik terug in bed en trok ik het dekbed tot aan mijn neus.

Evert de Wolf heeft bij mij op school gezeten. In groep vier of vijf is hij overgestapt naar de Beatrixschool. Waarschijnlijk in groep vijf want hij kende mijn bijnaam.

Ik stompte in mijn kussen. Ik kon het nauwelijks geloven: door Evert de Wolf was Roos overvallen en beroofd. Evert de Wolf, een jongen van mijn leeftijd.

Ik heb nooit veel met hem te maken gehad, daarom heb ik hem waarschijnlijk niet meteen herkend.

Maar hij herkende míj wel.

Plotseling begon ik te begrijpen wat dit betekende: Ik zou hem kunnen aangeven bij de politie. En dat niet alleen: *hij wist dat ík hem kon aangeven bij de politie.*

Wat kon dat voor gevolgen hebben? Ik voelde me ineens vreselijk bedreigd. Terwijl *hij* toch eigenlijk degene was die zich bedreigd zou moeten voelen.

Wat wilde hij van me? Waarom moest ik de volgende

dag naar de speeltuin gaan?
Ik zag hem weer voor me zoals hij als een gek die jonge padden doodtrapte, en ik huiverde.

Ik heb die nacht nauwelijks geslapen. En maar draaien, draaien, draaien en maar stompen, stompen, stompen. Tegen half twaalf hoorde ik pap en mam naar boven komen. Ik luisterde naar de gebruikelijke geluiden uit de badkamer, het doortrekken van de w.c.. Ik hoorde zelfs dat de wekker werd opgedraaid en pap zei iets over een knoop van zijn pyamajas.
Toen werd het rustig in huis en nog onrustiger in mijn bed. Ik vroeg me af of ik toch maar niet beter gewoon aan pap en mam kon vertellen wat er was gebeurd maar ik had Roos beloofd om mijn mond te houden. Ik vroeg me ook af wat er zou gebeuren als ik de volgende dag gewoon thuis zou blijven, en Evert de Wolf in zijn sop liet gaarkoken. Ik wist dat ik dat niet zou durven.
Rond half twee ben ik naar beneden gegaan. Ik kreeg honger en had het gevoel dat ik het in bed niet meer uithield. Ik ging naar de keuken en maakte licht. Ik trok een kastje open en zag een pak crackers en een pot chocoladepasta. Weet je wat ik lekker vind? Chocoladepasta met borrelnoten. Dus trok ik een andere kast open op zoek naar borrelnoten en maakte ik, staande aan het aanrecht, een cracker met notenpasta klaar.
Ik keek door het keukenraam. Het was volle maan. Ik zag een grijze vlek bewegen in het witte licht. Vroeger dacht ik altijd dat dat maanmannetjes waren die aan een lange tafel zaten te eten en feest vierden. Tegenwoordig weet ik dat die bewegende vlek een wolk is. Ik wreef

met mijn rechtervoet langs mijn linkerbeen. De tegels van de keukenvloer waren akelig koud.

Maanmannetjes ... als er maanmannetjes zouden bestaan, keken ze nu misschien wel naar beneden en zeiden ze tegen elkaar: 'Moet je zien, wat staat híj nou te eten?'

'Hè bah, heb je weer pasta met borrelnootjes?'

Ik schrok me naar. Mijn moeder was zachtjes de keuken binnengekomen en keek met opgetrokken neus naar mijn cracker.

'Ik heb honger,' zei ik, en nam een hap. Mam ging aan de keukentafel zitten. 'Ik ook.'

'Neem ook een cracker,' zei ik met volle mond en er vlogen kruimels naar alle kanten.

Mam bekeek zichzelf in het keukenraam en plukte wat aan haar haren. 'Er ligt nog een gehaktbal van gisteren in de koelkast,' zei ze. Ik antwoordde niet maar nam opnieuw een hap van mijn cracker.

'Maar,' ging mam verder, en ze zuchtte, 'misschien kan ik inderdaad beter een crackertje nemen.' Ze liep naar het aanrecht en bestudeerde de zijkant van het pak knäckebröd. 'Sesam knäckebröd bevat per 100 gram 416 calorieën,' las ze hardop. Ze nam het mes dat ik had laten liggen. 'Wil jij dat gehaktballetje soms, Alex?'

Ik schudde mijn hoofd.

'Kon je ook niet slapen?'

'Nee.'

'O.'

We aten zwijgend.

'Kon ik het maar gewoon zeggen,' dacht ik terwijl ik naar mijn moeder keek.

'Is er iets?' vroeg ze met een onderzoekende blik.

Ik schudde mijn hoofd.

Eigenlijk was het al lang geleden dat ik met mijn moeder over echt belangrijke dingen had gepraat. Mijn moeder . . . ik weet het niet. Vroeger dacht ik altijd dat mijn moeder alles wist, alles kon. Tegenwoordig heb ik zo vaak het gevoel dat ík het beter weet. Neem nou die diëten van haar. Die vind ik gewoon krankzinnig. Ze is trouwens niet eens echt dik, maar als je dat tegen haar zegt, eet ze meteen een stuk slagroomtaart en de volgende dag geeft ze jou op je kop omdat ze een kilo is aangekomen.

Met mijn vader heb ik ook maar weinig contact. Hij is vertegenwoordiger en veel van huis. Ik geloof dat hij meer van zijn werk weet dan van mij. Ik zou wel eens willen dat hij wat belangstelling had voor mijn skelettenverzameling, maar ik loop hem er niet mee achterna.

Ik heb Roos. Bij haar heb ik niet dat gevoel dat ik het beter weet. Ik denk wel eens: ik zou ook wel tweeënzeventig willen zijn, dan weet ik net zoveel als zij. Het moet fijn zijn om wijs te zijn. Maar het is ook fijn om weg te kunnen kruipen bij iemand die wijs is.

'Ik ga weer naar bed,' zei ik en veegde een paar kruimels van mijn mond.

Mam knikte. 'Ik ga ook zo. Doe je zachtjes?'

Ik sloop de trap op en gleed terug in bed. Na een poosje hoorde ik mam naar boven komen en het licht van de overloop uitknippen. Ik sloot mijn ogen.

Ik had nog steeds honger. Misschien had ik toch die gehaktbal op moeten eten. Ik probeerde om te blijven liggen maar dat lukte niet: ik moest terug naar beneden.

In het donker ging ik de trap weer af. Ook in de keuken deed ik de lamp niet aan, er was genoeg licht van de maan. Ik trok de koelkast open en zocht naar de gehaktbal. Ik kon hem niet vinden. Ik keek nog eens, zette een jampot opzij, keek achter de plastic doos met kaas. Teleurgesteld deed ik de deur weer dicht.

Toen pas zag ik in het licht van de maan dat er op het aanrecht een leeg schaaltje stond.

Toen ik wakker werd, had ik het gevoel dat iemand mij met een honkbalknuppel op mijn hoofd sloeg. Bij de wastafel gooide ik handenvol koud water tegen mijn gezicht. Als ik ziek zou zijn, kon ik vanochtend echt niet naar het speeltuintje. Evert moest toch begrijpen dat een ziek mens in bed behoorde te liggen.

Ik keek naar buiten. Het regende. De bomen stonden kromgebogen in de wind.

Ik kreeg pijn in mijn buik. Als het om half elf nog zo regende, zou Evert dan echt van mij verwachten dat ik mijn afspraak nakwam? Ik keek op mijn horloge. Het was kwart over negen.

Pap had al ontbeten en mam eet 's morgens nooit, dus zat ik helemaal in mijn eentje aan de ontbijttafel en probeerde voor de zoveelste keer te bedenken wat Evert van me wilde.

Ik at twee beschuiten met vruchtenhagel en dronk een kop thee die lauw was, want pap was vergeten de muts over de pot te doen.

Het was stil in huis. Pap tennist altijd, zaterdags 's morgens. Waar mam was, wist ik niet. Ik vond het niet erg dat het zo rustig was in huis. Dan kon ik tenminste nadenken. Mijn hoofd moest alleen niet zo leeg zijn. Wat wilde Evert de Wolf van me?

Veel te vroeg, het was nog maar net tien uur geweest, fietste ik in de richting van het speeltuintje. Het goot nog steeds. Ik had mijn capuchon op, en mijn kaplaarzen aan.
Ik kwam haast niemand tegen. Op de Wilhelminaweg stond een SRV-wagen waarvoor een paar mensen zich de regen in waagden. Een vrouw had kaplaarzen aan, net als ik, maar daarboven droeg ze een lichtblauwe ochtendjas. Het was geen gezicht. Met een mandje vol boodschappen ging ze hollend haar huis in.
Ik fietste door een grote plas en trok mijn voeten op. Ik leek wel gek om met dit weer naar de speeltuin te gaan. Er was vast niemand.

De speeltuin zag er verlaten uit. Onder de schommels en bij de glijbaan lagen grote modderplassen. De speeltoestellen waren kortgeleden geschilderd, maar zelfs het zonnige geel van het draaimolentje kon het speeltuintje op dit moment niet aantrekkelijk maken.
Ik liet mijn fiets op het trottoir voor de ingang staan en ging op de bagagedrager zitten. Ik keek op mijn horloge. Tot vijf over half elf zou ik wachten, geen seconde langer.
Ik schrok van het geluid van een optrekkende brommer. Op datzelfde ogenblik zag ik Evert en de lange jongen van de dag daarvoor. De brommer stopte vlak voor mijn voeten.
Beide jongens hadden nu een witte helm op waardoor

je weinig van hun gezicht zag, maar ze droegen hetzelfde jack als vrijdagmiddag en ik herkende Everts babyoogjes.

Alleen Evert stapte af.

De lange jongen spuugde op de grond. 'Zo,' zei hij. 'En heb jij het gedurfd om mijn broertje te verlinken?'

Ik keek van de een naar de ander. Die lange was dus de broer van Evert!

Ik gaf blijkbaar niet snel genoeg antwoord. De lange jongen pakte me vast en schudde me door elkaar. 'Hoe zit het? Heb jij je tongetje soms ingeslikt?'

Ik schudde mijn hoofd. 'Nee,' zei ik, en ik had een schijterige piepstem. 'Dat heb ik niet gedaan, ik heb Evert niet verraden.'

'Hé,' zei Evert, 'ik dacht dat jij niet wist hoe ik heette?'

Ik trok me los. 'Dat wist ik eerst ook niet.' Ik probeerde zo te antwoorden dat het niet bang klonk. 'Pas nadat jij gisteravond had gebeld, wist ik je naam.'

De lange jongen vloekte en gaf Evert een duw. 'Dat heb je mooi voor elkaar,' zei hij. 'Je had beter je mond kunnen houden.'

'Dat kon ík toch niet weten,' riep Evert uit. 'Ik dacht dat hij me wel meteen herkend zou hebben.'

Everts broer trok me aan mijn jas naar zich toe. Mijn fiets viel om en kletterde op de stoep. Het voorwiel draaide langzaam rond.

'Luister goed,' zei de jongen. Zijn adem rook vies, zoals wanneer je paprikachips hebt gegeten. Ik probeerde mijn hoofd af te wenden maar hij hield met harde vingers mijn kin vast.

'Als we door jou de politie op ons dak krijgen, dan zul

je eens wat beleven. Heb je dat goed begrepen?'
Ik knikte.

Het begon steeds harder te regenen. De druppels trommelden op de witte helmen en sprongen alle kanten op.

De jongen liet me los. Ik wreef met de bovenkant van mijn hand langs mijn natte neus.

Evert klom weer achterop en greep zich vast aan het jack van zijn broer. De brommer gaf een enorme brul en schoot als een snoek het trottoir af. Ik draaide me om. Mijn fiets lag precies in een plas.

Langs de omheining van het speeltuintje, vlak naast me, lag een bruin hoopje veren. Ik porde er met de neus van mijn laars tegen aan. Het was een dode mus. Het snaveltje was opengesperd en de oogjes leken twee glazen kralen. Met mijn zakdoek nam ik het vogeltje op en stopte het in de zak van mijn jas.

In onze achtertuin had ik een plek waar ik dode dieren begroef. Zo was mijn verzameling skeletten ontstaan: dode dieren begraven en later weer opgraven.

Ik zette het stuur van mijn fiets recht en stapte op.

Met mijn hoofd diep tussen mijn schouders trapte ik naar huis.

Hoofdstuk Vier

Op dat moment leek het dat ik niet bang hoefde te zijn voor Evert en zijn broer. Ik was niet van plan ze te verraden. Waarom zou ik het risico nemen dat ze mij in elkaar zouden slaan? Roos had niet eens aangifte gedaan van de diefstal. Als ik die twee zou verraden zou Roos óók op het politiebureau moeten verschijnen en dat zou ze me niet in dank afnemen.

Ik ben die zaterdag nog wel bij haar geweest. Natuurlijk niet om haar te vertellen wat er was gebeurd, maar om te kijken hoe het met haar ging, of ze al over de schrik heen was. Ik kon niks bijzonders aan haar merken. Ze had alleen de keukendeur op slot zodat ik niet zomaar bij haar kon binnenlopen zoals ik dat anders altijd deed. Ze had een prachtige visgraat voor me van een schol. Ze vroeg of ik hem wilde hebben voor mijn verzameling. Stom is dat. Ik had er nooit bij stilgestaan dat een visgraat ook een skelet is. Natuurlijk wilde ik hem hebben. Ik ben hem die middag meteen gaan uitkoken.

Ik denk wel eens dat Roos de enige is die echt belangstelling heeft voor mijn skelettenverzameling. Ze is er ook niet vies van, zoals mijn moeder. Een skelet is zo'n belangrijk deel van ons lichaam. Zonder skelet zijn we niks, zouden we als een tent in elkaar zakken.

Ik heb die middag ruzie gehad met mijn moeder. Het begon al toen ik die visgraat ging uitkoken. Mam vond dat maar niks en ze belde prompt Roos op om haar beklag te doen. Roos was niet thuis, de telefoon werd tenminste niet aangenomen, dus begon mam tegen mij te mopperen: dat oma toch wijzer moest zijn en dat ik wel gek leek en weet ik veel. Het ging mijn ene oor in en mijn andere oor uit. Je moet mijn moeder altijd eerst een beetje laten uitrazen. Vooral als ze net aan een nieuw dieet is begonnen want dan rammelt ze van de honger en is ze niet te genieten.

Ik zei overal ja en amen op en toen ik al dat gedonder beu was, nam ik de trommel met peperkoek uit de kast en sneed ik voor mezelf een dikke plak af.

Ik geloof dat mijn moeder dat niet kon aanzien. Ze ging tenminste de keuken uit.

En wat er toen gebeurde, je houdt het niet voor mogelijk: ze zag in de gang mijn natte jas hangen en nam hem mee om hem te drogen. Nou was het er door al die regen nog niet van gekomen om dat dode vogeltje te begraven. Om eerlijk te zijn, ik was al weer vergeten dat ik het in mijn zak had.

Stond ik daar rustig mijn peperkoek op te eten, kwam mijn moeder woedend de keuken in met mijn zakdoek met dat dode vogeltje tussen duim en wijsvinger. Binnen een tel was ik net zo kwaad als zij. Ik bedoel maar . . . een aantal dingen in huis mag ik met geen vinger aanraken. De video bijvoorbeeld, paps fotocamera. Ik ben zo'n braaf kind, ik gehoorzaam en blijf er met mijn tengels af. Maar intussen menen ouders dat ze het recht hebben om aan alle spullen van hun kind te komen. Míjn ouders in ieder geval wel.

Ik griste de zakdoek met het vogeltje uit haar vingers. Het liefst was ik meteen naar buiten gelopen (mijn moeder zou me toch niet achterna zijn gekomen de blubberige achtertuin in), maar mijn pannetje met de visgraat stond nog op het fornuis en nu mam zo woedend was, zou ze de hele boel zeker in de vuilnisbak kiepen. Juist op dat moment werd er gebeld – noem het maar een gelukkig toeval – en stond mevrouw Terneuzen voor de deur, een van mams zogenaamd te dikke vriendinnen. Mevrouw Terneuzen kwam huilend binnen. Haar jas zat onder de modder en op haar benen zaten witte strepen omdat haar panty aan alle kanten kapot was.

Ik vind het akelig als grote mensen huilen. Ik weet dan niet goed waar ik moet kijken. Maar mijn nieuwsgierigheid won het en ik bleef mevrouw Terneuzen aangapen toen ze op de drempel van de keuken stond.

Mam trok haar mee naar een stoel. 'Ga zitten, ga zitten.' 'M'n tas!' Mevrouw Terneuzen schreeuwde en jammerde tegelijk. 'Wat is er met je tas? Waar is je tas?' vroeg mam terwijl ze zoekend rondkeek.

'Gestolen,' riep mevrouw Terneuzen huilend. 'Een jongen op een fiets rukte hem uit mijn handen.'

'Rustig nou maar!' Mam begon ook al te roepen. 'Trek nou eerst je jas maar eens uit, dan schenk ik daarna een kopje koffie voor je in.' Als een klein kind liet mevrouw Terneuzen zich helpen met het uittrekken van haar jas. Mam bekeek het kledingstuk hoofdschuddend. 'Wanneer is het gebeurd?' vroeg ik.

'Net,' antwoordde mevrouw Terneuzen terwijl ze een bloemetjeszakdoekje te voorschijn haalde en trompetterend haar neus snoot. 'Vijf minuten geleden, hier om de hoek, in de Akeleistraat.'

'Hier om de hoek?' riep mam en sloeg haar handen in elkaar. 'Wat vreselijk dat zo dicht bij huis ook al van dat soort dingen gebeuren. En nog wel overdag.'

'Zeg dat wel,' zei mevrouw Terneuzen. Ze keek naar

haar knieën die geschaafd waren.

'Zal ik er wat jodium opdoen?' vroeg ik, maar mam zei dat zij daar zo meteen wel voor zou zorgen, dus hield ik beledigd mijn mond hoewel ik stikte van de vragen.

Gelukkig vertelde mevrouw Terneuzen uit zichzelf wat er in haar tasje had gezeten: 'M'n portemonnee met tweehonderd gulden. Tweehonderd gulden! En m'n bankpasje zat erin en mijn betaalcheques. En . . . o vreselijk, mijn vakantiefoto's, je weet wel, van Oostenrijk.'

Mam had intussen koffie ingeschonken. Ze haalde de verbanddoos te voorschijn.

Ik was op het aanrecht gaan zitten, vlak naast het fornuis met mijn pannetje met de visgraat.

'Oooh!' riep mevrouw Terneuzen uit. 'De ring die ik van mijn moeder heb gekregen, die zat er ook in. Dat vind ik nog veel erger dan die tweehonderd gulden. Wat vind ik dat erg. Hoor je dat, Henriët?'

Mijn moeder knikte meelevend. 'Je moet het direct aangeven bij de politie,' zei ze. 'Zal ik met je meegaan? Ik breng je wel even met de auto.'

Ik moest plotseling aan Evert denken. En aan zijn broer. 'Weet u hoe die jongen eruit zag, mevrouw Terneuzen?' vroeg ik beleefd. 'Ach gunst,' mevrouw Terneuzen dacht even na. 'Dat weet ik niet precies. Het ging zo snel, en hij kwam van achteren.'

'Was hij groot?' hield ik aan, 'of juist klein? Blond?' Mevrouw Terneuzen staarde voor zich uit. 'Hij kan best blond zijn geweest. Ik weet het niet. Hij had donkere kleren aan, dat weet ik wel.'

'Een zwart jack?'

'Gunst, dat zou best kunnen . . . Of donkergroen.'

'Zeg Alex, hou eens op met politie spelen,' zei mam en aan haar stem hoorde ik dat ze nog steeds kwaad op me was. 'Ga de keuken maar eens uit, ik wed dat er op je kamer wel het een en ander kan worden opgeruimd.'

Ik opende mijn mond om wat te zeggen.

'Ik kijk even naar de kapotte knie en daarna breng ik mevrouw Terneuzen naar het politiebureau,' zei mam. 'Nou, schiet op.'

Ik draaide het gas uit, pakte twee pannelappen en goot het kokende water uit mijn pan.

Ik spoelde de visgraat af onder een koude waterstraal en sloeg er daarna de druppels af. Zonder nog iets te zeggen, ging ik naar mijn kamer.

Hoofdstuk Vijf

Als ik terugkijk is het die zaterdag geweest dat ik voor het eerst de fout maakte om te verzwijgen wat er was gebeurd: Ik ben bij Roos geweest om te kijken hoe ze het maakte, maar ik heb haar niets verteld over mijn ontmoeting met Evert en zijn broer. Waarom heb ik dat eigenlijk niet verteld? Toen was er nog niets vreselijks gebeurd waar ik zelf bij was betrokken. Ik hoefde me nog nergens voor te schamen. En Roos had vast iets verstandigs gezegd of gedaan waardoor er geen afschuwelijke dingen zouden zijn gebeurd. Wat heeft me tegengehouden? Wilde ik niet dat Roos ongerust zou worden? Was het omdat Roos zich schaamde dat ze haar spaargeld in de linnenkast had bewaard en wilde ik haar daar niet aan herinneren?
Ik weet het niet. Maar om het te verzwijgen . . . da's het stomste geweest dat ik kon doen.

Een paar dagen hoorde ik niets meer van Evert en zijn broer. Ik ging naar school en als ik niet naar school hoefde, zat ik meestal op mijn kamer met een boek uit de bieb. Ik leen bijna altijd boeken over dinosauriërs of over fossielen. Die week had ik voor het eerst een boek meegebracht over het heelal en kwam ik van alles te weten over Neptunus en Pluto. Ik leerde wat kometen zijn en wat de Melkweg is. Dat is verder niet belangrijk voor dit verhaal maar ik vertel het om te laten zien hoe gemakkelijk mijn leven toen was. Ik zat vaak 's nachts met paps oude verrekijker de sterrenhemel te bekijken. Was alles maar zo eenvoudig gebleven als toen.

Donderdags – de eerste donderdag na de zaterdag – zag ik de broer van Evert weer terug. Het was middag. We hadden pauze en ik stond op het schoolplein met Evelien te praten. Evelien zit bij mij in de groep. Een paar weken daarvoor had zij een spreekbeurt gehouden over sterren en het heelal. Ze wist er heel veel van en had ook een echte sterrekijker meegebracht.

We waren zo druk in gesprek dat ik helemaal niet in de gaten had wat er bij het schoolhek gebeurde. Pas toen zich daar steeds meer kinderen verzamelden, zag ik dat de broer van Evert uitsloverig rondjes reed met zijn brommer. Het leek wel of hij in zijn eentje circusje aan het spelen was. Hij draaide achten, balancerend op de trappers en alsof dat nog niet mooi genoeg was, gaf hij een ruk aan zijn stuur zodat zijn voorwiel de lucht in ging en hij een paar tellen alleen op zijn achterwiel reed.

De kinderen die bij het schoolhek waren samengedromd, joelden en klapten.

Samen met Evelien had ik me bij hen gevoegd. Evelien haalde haar neus op. 'Wat een uitslover,' zei ze.

Ik antwoordde niet. Ik vond het eigenlijk wel knap wat die jongen deed.

Juffrouw Wiedemaas liep met een bekertje koffie in haar hand over het schoolplein. Ze kwam naar ons toe, ondertussen kleine slokjes nemend. 'Zeg,' riep ze, toen ze dichterbij was. 'Gaan jullie daar eens weg. Hebben jullie niets beters te doen dan al dat samenklitten?'

De meeste kinderen deden braaf wat hen gezegd werd, vooral toen de jongen na een handgebaar van juffrouw Wiedemaas een laatste rondje maakte en daarna gehoorzaam de straat uit reed.

'Ken je die jongen?' vroeg ik aan Evelien.

Ze knikte. 'Da's Lucas de Wolf. Die woont bij ons in de straat. Vervelend lefgozertje. Pest mijn zusje altijd.'

Lucas de Wolf . . . Toen wist ik zijn naam.

Evelien ging naar een paar vriendinnen toe maar ik bleef in de buurt van het hek. Op de een of andere manier had ik het gevoel dat het geen toeval was dat die jongen zo dicht bij mijn school had gereden. En inderdaad: na een paar minuten kwam hij terug. Hij zag mij staan en stopte bij het hek. Hij wenkte me. Ik keek over mijn schouder; juffrouw Wiedemaas boog zich over een klein kind dat was gevallen.

Aarzelend liep ik naar Lucas toe.

'Vanavond,' zei hij, 'zeven uur, winkelcentrum bij de fontein. Zorg dat je er bent.'

Hij trok een rare grijns, die ik al eerder van hem had gezien. Ik deed een stapje achteruit.

Meteen reed Lucas weg.

Ik hoorde juffrouw Wiedemaas roepen en keek om.

Er stond al weer een groepje bij het hek.

'Alex van Schijndel!' Ik zag aan juffrouw Wiedemaas dat ze boos was en ik maakte een sprint, terug naar het schoolplein.

Ze kwam naar me toe. 'Heb ik gezegd dat jij het hek uit mocht?' vroeg ze streng.

Ik schudde mijn hoofd.

'Nou dan,' zei ze. 'Laat het niet nog eens gebeuren.'

Ik staarde naar haar schoenen. Zwarte schoenen met een strikje erop. Mijn hart klopte in mijn keel.

Ik had die avond om kwart over zeven fluitles. Ik was

echt hartstikke stom: ik wist natuurlijk niet wat Lucas nu weer van me wilde, maar ik dacht dat wat hij te zeggen had wel niet zoveel tijd zou kosten en ik gemakkelijk nog om kwart over zeven op de muziekschool kon zijn. De muziekschool is bovendien vlak bij de fontein.

Klokslag zeven uur kwam ik op de afgesproken plaats. Ik was niet eens zo erg zenuwachtig. Ik had de hele middag nagedacht over wat Lucas me te zeggen zou hebben maar ik kon niets bedenken. Ik had hem niet verraden, wat had ik dan te vrezen?

Roos zegt altijd: de mens lijdt het meest door de dingen die hij vreest. De fontein staat midden op het marktplein, bij het winkelcentrum. Drie stenen vissen spuiten water in de lucht. Ik ging op de rand langs de fontein zitten. Kleine druppeltjes spatten in mijn nek. Lucas en Evert hadden blijkbaar op me gewacht. Ik zag ze uit het portiek van de juwelier komen. Ik stond op.

'Zo . . . Kippebotje is keurig op tijd,' zei Evert en meteen gaf hij me een stomp in mijn maag. Ik kromp in elkaar en snakte naar adem. 'Waarom doe je dat?' piepte ik hijgend.

Evert en Lucas keken elkaar aan en lachten. Lucas pakte me bij mijn schouder. 'Ga eens even rustig zitten, jongen.'

Ik ging weer op de rand van de fontein zitten. Ze zeggen van een hond wel eens: hij ruikt onraad. Ik rook het niet, ik voelde het.

Evert en Lucas gingen ook zitten. De een rechts van me, de ander links. Ze zaten zo dicht tegen me aan dat ik als het ware klem zat. Ik probeerde moed te verzamelen en zei: 'Wat willen jullie van me? Ik moet opschieten wat ik heb zo meteen muziekles.'

'Ach gut tut tut tut,' zei Lucas, 'het jongetje moet naar de muziekschool. Wat speel je? Viool zeker. Je lijkt me echt zo'n kakventje dat viool speelt.'

'Volgens mij speelt ie doedelzak!' riep Evert. Hij schaterde van het lachen.

De knokkels van mijn handen waren wit, zo stevig hield ik mijn tas vast.

Lucas keek er naar. 'Ik denk dat het viooltje in de tas zit,' zei hij. Ik probeerde niet los te laten maar Lucas rukte de tas moeiteloos uit mijn handen. Hij deed hem open en haalde de fluit eruit. 'Ach kijk eens . . . da's een gek viooltje.' Hij legde de fluit tegen zijn schouder en deed alsof hij een strijkstok vasthield. Hij en Evert proestten het uit. Ik zat als versteend.

Lucas deed de tas opnieuw open en haalde mijn muziekboek eruit. 'Ooo,' zei hij met een overdreven uithaal, 'wat ben jij knap. Kijk eens Evert, dit jongetje kan nootjes lezen.'

'Is dat knap?' vroeg Evert. 'Een aap kan nootjes éten. Geef hier.' Hij rukte het muziekboek uit Lucas' handen en gooide het met een boog in het water bij de fontein.

'Mijn boek!' schreeuwde ik. Ik sprong op maar Evert en Lucas grepen me allebei vast.

'Zitten,' siste Lucas.

'M'n boek,' piepte ik.

'Hou je bek en luister naar me,' zei Lucas. Hij duwde me terug op de rand van de fontein. 'We gaan eerst even gezellig samen praten.' Ik draaide me om en zag mijn boek op de bodem liggen. 'Maar ik moet naar muziekles,' bracht ik uit.

'Die muziekles moet je maar vergeten,' zei Lucas. 'Je hebt vanavond andere dingen te doen. Punt een: vertel maar eens of jij braaf je mondje hebt gehouden.'

Evert had mijn fluit tegen mijn borst gezet en drukte er hard tegen. Lucas hield mijn handen vast.

'Niet doen,' zei ik en ik hoorde zelf hoe zielig het klonk. 'Ik heb die fluit pas een maand. Pas op dat er niks mee gebeurt, en je doet me pijn.'

Evert begon zachtjes met de fluit op de rand van de fontein te tikken.

'Je hebt nog geen antwoord gegeven,' zei Lucas. 'Ik heb het over die ouwe oma van je. Heb je haar iets verteld?'

Ik schudde haastig van nee.

'Heb je er met iemand anders over gesproken?'

Weer schudde ik mijn hoofd. 'Nee, echt niet. Waarom laten jullie me niet met rust. Ik zal jullie niet verraden.'

Lucas knikte goedkeurend. 'Eén ding moet ik zeggen: je bent dan wel een sloom kakkertje, je kunt goed je mondje dichthouden. Ik geloof tenminste niet dat je liegt.'

Evert tikte nu harder op de rand van de fontein. Het geluid dat hij maakte leek op dat van een druppende kraan.

'Mijn vader zal woedend zijn als er iets met die fluit gebeurt,' bracht ik met moeite uit.

Lucas liet me los. 'Hou eens op,' zei hij tegen Evert. 'Geef hier.' Hij pakte de fluit af en bewoog hem vlak voor mijn ogen heen en weer. 'Er gebeurt helemaal niets met die fluit, slome, als je maar braaf doet wat wij zeggen.'

'Precies,' zei Evert. Hij boog zich voorover en liet een boer, precies in mijn oor.

Lucas lachte. 'Jij moet vanavond een . . . laten we zeggen . . . een klein karweitje voor ons doen. En als je dat gedaan hebt . . . nou, dan geven wij weer netjes je fluitje terug. Da's toch eerlijk.'

Ik snapte niet helemaal wat daar eerlijk aan was maar ik wilde voorkomen dat die idioot ook mijn fluit in het water zou gooien en vroeg: 'Wat moet ik dan doen?'

Lucas kneep zijn ogen tot spleetjes. 'Jij bent een verstandig kereltje,' zei hij. 'Met jou valt te praten. Heel goed, want je zou immers niet willen dat je pappie boos werd omdat er iets met je fluit was gebeurd, wel.'

Evert stond me spottend aan te kijken.

Ik keek om me heen. Er waren hier nauwelijks mensen. Alle winkels waren gesloten en ondanks dat het al juni was, stond er een harde koude wind. Geen lekker weer voor een wandelingetje; bijna niemand die me kon helpen.

'Wij hebben geld nodig,' zei Lucas, 'en jij zorgt dat we dat krijgen.' 'Ik heb geen geld,' antwoordde ik meteen.

'Je luistert niet goed,' snauwde Lucas. 'Ik zei: jij zorgt dat we het krijgen. We gaan dadelijk op zoek naar een oud vrouwtje. Het enige wat jij hoeft te doen is haar handtasje afpakken. Makkelijk hè. Je geeft ons haar geld en jij krijgt je fluit terug.'

'Dat kun je niet menen,' bracht ik uit.

'Nou en of ik dat meen,' zei Lucas.

En ik wist dat het waar was.

Ze dwongen me mee te lopen naar de Hoofdstraat.

De Hoofdstraat heeft verschillende zijstraten en daar was het Lucas en Evert om begonnen. In de Hoofdstraat wachtten ze op hun slachtoffer: het moest een oudere vrouw zijn met een handtas en ze moest een van de stille zijstraten ingaan.

Ik stond vreselijk te beven. Plotseling zag ik een vrouw lopen zoals Lucas en Evert bedoelden: klein, grijs haar. Ze schommelde een beetje tijdens het lopen, alsof ze pijnlijke voeten had. In haar rechterhand droeg ze een bruine tas. Hij zwaaide heen en weer bij elke stap. Iemand beroven . . . ik wist dat ik dat niet kon. Ik hield mijn mond stijf dicht.

Lucas en Evert zagen haar ook. 'Die! Die!' zei Evert en hij stootte zijn broer aan.

'Hou je kalm,' zei Lucas. 'Kom mee.'

Tussen Lucas en Evert in achtervolgde ik de vrouw. Ik had het gevoel dat ik moest overgeven.

Inderdaad sloeg de vrouw halverwege de Hoofdstraat een zijstraat in. Lucas greep me bij mijn kraag. 'Nou . . . nog één keer, luister goed slome: je rent langs haar en je rukt die tas uit haar hand. Gehoord? Gehóórd?'

Ik knikte.

'En als je die tas hebt, ren je terug naar het Marktplein en wacht je op ons in het portiek bij de juwelier.'

'En de tas laat je dicht,' vulde Evert aan.

'Dat spreekt vanzelf lijkt me,' zei Lucas. Hij gaf me een duw in mijn rug. 'Lópen.'

Even leek het alsof ik mijn benen niet kon bewegen, maar toen rende, rénde, rénde ik. De oude vrouw voorbij en links, rechts, links, rechts zijstraten en stegen in.

Ik was dan misschien een slome, hardlopen kon ik toevallig redelijk.

Toen ik thuiskwam zaten pap en mam voor de t.v. Pap had een boek op schoot en mam een vreselijk roze breiwerk waarvan ik alleen maar kon hopen dat het niet voor mij was bestemd.

Ik keek naar de klok en zag tot mijn geruststelling dat het niet vroeger of later was dan anders wanneer ik uit muziekles kwam. 'Hei, hallo,' zeiden pap en mam tegelijk.

Ik knikte. Mijn hart bonkte alsof het mijn lijf uitwilde.

'Hoe was het?' vroeg mam, terwijl ze televisie keek en ijverig verder breide. Ze merkte niet dat ik geen antwoord gaf.

Eigenlijk wilde ik maar een ding: naar mijn kamer om alleen te zijn. Mam keek op. 'Is er iets?'

Moeders denken altijd dat er iets is.

'Je ziet er zo verhit uit.'

'Ik heb hard gelopen.'

'Schenk je zelf iets in?'

In de gang rinkelde de telefoon.

'Neem even op,' zei mam.

Ik nam de hoorn op. 'Ja, hallo, met Alex van Schijndel.'

Aan de andere kant van de lijn werd gevloekt. Het was Lucas! 'Rund dat je bent! Ik heb nog nooit zo'n schijthuis gezien als jij. Van dat soort grapjes houden wij niet mannetje.'

Ik slikte en zweeg.

'Je vindt het zeker niet erg om voortaan zonder fluit naar muziekles te gaan?'

Ik gaf nog steeds geen antwoord.

'Hoe zit het? Ben je van plan om wat tegen me te zeggen of zal ik die fluit maar meteen door midden breken? Ik denk dat je vader je wel goed in elkaar trimt, als hij hoort dat je je nieuwe fluitje kwijt bent, of niet.'

Ik keek over mijn schouder of iemand mij was na gekomen. In elkaar trimmen? . . . Nee, dat zou pap niet doen. Maar hij zou wel woedend zijn als hij hoorde dat ik me mijn fluit had laten afpakken. Pap heeft al vaker gezegd dat ik wat meer lef moet hebben. 'Als je geslagen wordt, moet je terugslaan,' zegt hij altijd. 'En je hoeft niet bij je moeder of mij te komen uithuilen. Je bent een gezonde stevige jongen, je moet leren om voor jezelf op te komen.'

'Zeg, ben je er nog of sta ik tegen de muur te praten?' schreeuwde Lucas.

Ik hield de hoorn een stukje van mijn oor af. 'Ik . . . ik ben er nog.'

'Mooi! Nou, je hoeft alleen maar antwoord te geven: wil je dat kreng terughebben?'

Ik knikte. 'Ja . . . ja!' antwoordde ik haastig.

'Je kunt hem terugkopen. Vijf tientjes en hij is weer de

jouwe.'

'Maar . . .' begon ik.

'Je hebt het gehoord: vijf tientjes en anders gaat ie krak doormidden. Morgenavond, zeven uur, bij de fontein op het Marktplein. En . . . luister goed, schijthuis: als je je mondje opendoet tegen pappie of mammie, ziet het er heel, heel slecht voor je uit.'

De verbinding werd verbroken.

Ik schrok me naar van mam die ineens achter me stond.

'Wie was dat?' vroeg ze.

Ik haalde mijn schouders op. 'Iemand van school,' mompelde ik. Ik keek naar de grond want ik had het gevoel dat mam aan mijn ogen moest kunnen zien dat mijn knieën knikten.

Ik moest die fluit dus wel terugkopen voor vijf tientjes. Maar ik wist haast wel zeker dat ik niet genoeg geld had. Van mijn verjaardag, twee maanden daarvoor, had ik nog dertig gulden. Ik spaarde voor een boek over het heelal. Ik had gedacht over twee maanden genoeg geld te hebben om het te kunnen kopen. Mooi niet dus.

Ik haalde de drie briefjes uit de sigarendoos waarin ik mijn geld bewaar en stond er een poosje mee in mijn handen. Ik had me er zo op verheugd dat boek te kopen. Waarom had ik die fluit niet gewoon afgepakt. Was ik zo bang voor een pak slaag? Ik hoefde niet lang over die vraag na te denken.

Lucas noemde mij een schijthuis. Dat ben ik ook. Ik kan niet vechten. Ik ben bang voor pijn. En het lukt me ook niet om iemand anders pijn te doen. Als iemand mij een mep geeft, kruip ik in elkaar. Soms wil ik wel terugslaan, maar ik kan het gewoon niet. Een zacht tikje, verder kom ik niet.

Mijn moeder zegt: je moet niet vechten, je moet praten. Maar dan zegt mijn vader altijd dat het er voor ons land slecht zou uitzien als er alleen maar van die slapjanussen rondliepen zoals ik. Je moet je kunnen verdedigen, vindt pap.

Hoezo verdedigen? Stel dat er oorlog komt en ik moet vechten. Ik zou liever zélf vermoord worden dan dat ík iemand moest vermoorden.

Ik stopte de drie tientjes in mijn broekzak. Ik had nog een spaarvarken maar ik verwachtte niet dat daar veel in zou zitten. Ik pakte het van de plank en schudde ermee. Daarna pakte ik mijn zakmes, stak het in de gleuf en peuterde nog drie gulden vijfenzeventig te voorschijn. Toen had ik drieëndertig gulden en vijfenzeventig cent.

Ik hoopte dat Lucas daar genoegen mee zou nemen.

'Alex!, het is al half tien!' riep mam onder aan de trap. 'Licht uit en slapen!'

Ik liet het kleingeld bij de briefjes in mijn broekzak glijden en zette het varken terug op de plank.

Traag kleedde ik me uit. Wassen en tandenpoetsen sloeg ik over. Ik liep naar de kast waarop ik mijn skeletten bewaar. De visgraat van Roos had ik op een stuk zwart papier geplakt. Hij was prachtig. Met witte inkt had ik er 'schol' onder geschreven plus de datum waarop ik hem had gekregen.

Ik liep naar het raam en keek naar de sterren. Ik ontdekte de Grote Beer. Ik pakte papa's oude verrekijker maar ik wist allang dat je daar geen barst aan hebt wanneer je sterrenhemels wilt bekijken.

Ik deed het licht op mijn kamer uit en keek met de verrekijker bij de overburen binnen. Ze zaten op de bank voor de t.v. De buurvrouw was hoogzwanger. Ze had een schaaltje met pinda's of chips op haar dikke buik staan. Om de beurt staken de buurman en de buurvrouw hun hand in het schaaltje en daarna in hun mond. Wat er op televisie was kon ik niet zien.

Ik keek bij de buren daarnaast binnen. Ik zag alleen de buurvrouw. Ze zat – hoe is het mogelijk – precies zo'n monsterlijke trui te breien als mijn moeder. Zuurstokroze werd zeker mode?

Ik zette de verrekijker terug in de vensterbank. In hèt donker zocht ik mijn bed.

Als Lucas, en Evert ook, als ze nou eens geen genoegen namen met die drieëndertig gulden en vijfenzeventig cent?

Ik had van Roos een buikademhaling geleerd waardoor je je kon ontspannen. Ik ging op mijn rug liggen, met mijn ogen dicht. Ik ademde in en uit, in en uit.

En ik sliep.

Hoofdstuk Zes

De dag daarna was dus weer een vrijdag en ging ik zoals gewoonlijk naar Roos.

's Morgens voor schooltijd heb ik een omweg gemaakt, zodat ik langs de fontein zou komen. Mijn muziekboek lag op de bodem. Het lukte me om het eruit te vissen maar mijn haar werd nat want een van de drie stenen vissen spoot precies op mijn kop. Gelukkig was het niet koud. Ik had een plastic zak meegenomen om het muziekboek in te doen. Op school liet ik hem aan de kapstok hangen en daarna nam ik hem mee naar Roos.

Toen ik haar straat inkwam bedacht ik dat het een week was geleden dat mevrouw Geultjes daar had gelopen en het verkeer stilhield om jonge padden te redden. Met een paar sprongen klom ik tegen de dijk op en keek ik naar het wiel. Er was niets bijzonders te zien.

Het was ook een week geleden dat Roos was overvallen. Plotseling wilde ik zo snel mogelijk naar haar toe. Ik rende de dijk af naar het huis van Roos. Ik ging achterom. Ze zat op de groengeverfde tuinbank en schraapte worteltjes. Ze lachte toen ze me zag. 'Gaat het goed?' vroeg ze. Dat vraagt ze bijna altijd. En dan niet op een manier dat je gewoon, zonder na te denken 'ja' antwoordt, maar echt gemeend. Zodat je ook met 'nee' kunt antwoorden.

Ik dacht aan Lucas en Evert en de drieëndertig gulden vijfenzeventig in mijn broekzak en zei: 'Het kon beter.'

Roos keek even op van het worteltjes schrapen en ging toen weer verder. Ze vroeg niets. Dat is het grote verschil tussen mam en Roos: mam vraagt altijd, en juist daarom zeg ik niets. Niet dat ik Roos alles vertel, helemaal niet, maar als ik iets wíl zeggen, doe ik dat tegen háár.

We zwegen een poosje. Ik keek naar Roos' vingers. Ze waren bruin en rimpelig van het worteltjes schrapen. Toen ze het laatste worteltje in een pan had gegooid, deed ik mijn plastic tas open en haalde het muziekboek eruit. 'Kijk eens?' zei ik.

Roos keek van het muziekboek naar mij en stond op. 'Ik ga even mijn handen wassen,' zei ze. Ze pakte de pan. Ik liep achter haar aan naar de keuken.

Ze waste haar handen en nam het natte boek van me over. Ze vroeg niets.

'Dat ziet er niet best uit,' zei ze. 'Ik hoop dat we dat nog goed krijgen.' Ze pakte een droogdoek en depte voorzichtig het papier. 'Weet je wat ik denk?' zei ze. 'Ik denk dat ik moet proberen de bladzijden los van elkaar te drogen.'

Ik knikte alhoewel ik niet helemaal snapte wat ze bedoelde. Met een briefopener boog ze de nietjes van het boek los en haalde ze de bladzijden eruit. Ze keek om zich heen. De zon scheen door het keukenraam. Ze ruimde de vensterbank leeg en spreidde de vellen muziekpapier erin uit.

Ze glimlachte naar me. 'Misschien lukt het.'

Terwijl ze theewater opzette en thee in de pot deed, haalde ik bekers uit de kast en maakte ik de koektrommel open om alvast te kijken wat erin zat. 'Ik heb wel eens een film gezien,' zei ik, 'over iemand die in zijn kelder vals geld maakte. Die man hing alle natte briefjes aan de waslijn.'

Roos goot het kokende water in de pot. De glazen van haar bril besloegen. 'Bankbiljetten zijn kleiner,' antwoordde ze, 'en de natte drukinkt maakt ze niet zo zwaar als papier dat in het water heeft gelegen.'

We dronken buiten thee. Allebei met een trui aan, maar toch met een gevoel dat het nu eindelijk een beetje zomer begon te worden.

Toen ik mijn tweede koekje op had zei Roos plotseling: 'Alex, ik heb tegenwoordig de achterdeur op slot. Je kunt dus voortaan maar beter aan de voordeur bellen. Behalve als je me in de tuin ziet natuurlijk.' Ik keek opzij naar Roos. Ze beet op haar onderlip. 'Is het omdat . . .' begon ik aarzelend.

Ze knikte. 'Ik wil voorkomen dat zoiets nog eens gebeurt.'

'Ben je . . .' zei ik, maar ze viel me meteen in de rede.

'Lieverd, we hadden afgesproken er niet meer over te praten.' Ze pakte de theepot en schonk opnieuw thee in. Een grote bel dreef in mijn kopje, draaide rond en spatte toen uiteen. Ik voelde me beschaamd. Roos kon me met rust laten, niets vragen als ik dat niet wilde. Ik moest háár ook met rust laten.

Ik begon bijna te begrijpen waarom mama haar mond nooit kan houden: het brandde op het puntje van mijn tong om Roos te vertellen wie de jongens waren die haar hadden overvallen. Maar wat had Roos eraan als ze toch geen aangifte van diefstal wilde doen.

'Aangifte van diefstal.' Ik dacht na over die woorden. Aangifte van diefstal en vrijheidsberoving. Ja toch? Als ze je vastbinden aan een verwarmingsradiator dan is dat toch beroving van vrijheid.

Ik had mijn hand in mijn zak waarin ik mijn geld bewaarde.

Ik rilde.

'Heb je het koud?' vroeg Roos.

Ik schudde mijn hoofd. Een merel scharrelde tussen wat bladeren en rukte een worm uit de grond.

'Ben jij wel eens . . . bang,' vroeg ik.

Het duurde even voordat Roos antwoord gaf. Misschien vroeg ze zich af of deze vraag iets met dat andere te maken had, waar ze niet over wilde praten. Ze roerde bedachtzaam in haar thee. 'Ja,' zei ze. 'En daar ben ik blij om.'

Ik keek op. Ze gaf me een klopje op mijn been. 'Klinkt

dat gek? Als je niet weet wat bangzijn is, weet je ook niet wat het is om vrij te zijn. Dat is hetzelfde als bijvoorbeeld . . . gelukkig zijn. Je kunt alleen gelukkig zijn, als je weet hoe het is om ongelukkig te zijn.'

Ik nam nog een koekje uit de trommel en probeerde te begrijpen wat ze bedoelde.

Om zeven uur die avond stond ik weer bij de fontein. Ik had het geld in mijn broekzak wel tien keer nageteld. Ik durfde er niet aan te denken wat er zou gebeuren als de jongens mijn fluit niet zouden teruggeven.

Net als de vorige keer, kwamen Lucas en Evert uit het portiek bij de juwelier. En ook nu weer begroette Evert me met een stomp in mijn maag. Lucas droeg mijn tas.

Nu het mooier weer was, liepen er meer mensen op straat. Het gaf me een gevoel van veiligheid.

Lucas grijnslachte. 'Heb je de centjes bij je?'

Ik haalde het geld te voorschijn. De briefjes vouwde ik open. Evert griste ze uit mijn hand. 'Da's te weinig!' riep hij meteen. 'Vijftig gulden hadden we toch gezegd.'

'Ik heb nog meer.' Ik spreidde de drie gulden vijfenzeventig uit op mijn handpalm. Lucas en Evert keken elkaar aan. Plotseling gaf Lucas me een klap onder tegen mijn hand. Het geld rolde over straat. Ik wilde bukken om het op te rapen maar Evert schraapte het geld met zijn schoen bij elkaar en liet het verdwijnen in de gleuven van een putje. 'Klein geld daar doen we niet aan,' zei hij.

Ik was verbluft. Lucas en Evert lachten me uit. 'Ach gossie,' zei Lucas. 'Ik denk dat het zijn laatste centjes uit zijn roze spaarvarkentje waren. Is dat zo, Kippebotje?'

Ik gaf geen antwoord. Ik had er nooit over nagedacht, maar plotseling leek het me belachelijk voor een jongen van mijn leeftijd om nog een roze spaarvarken te hebben.
'Nou?' blafte Lucas. 'Ik hoor niets? Is het zo? Ja dus. Je hebt een roze spaarvarken, net zoals baby's.'
Nog steeds zei ik niets. Aan de overkant van de straat liep een verliefd stelletje hand in hand te wandelen. Ik keek naar de blauwe jas van het meisje.
'Zeg me maar na,' zei Lucas. 'Ik ben een baby met een roze spaarvarken.'
Ik hield mijn mond.
'Kom eens mee.' Ze duwden me een steeg in. Het was er schemerdonker en het stonk er naar pies. Er waren alleen maar pakhuizen.
'We proberen het nog een keer,' zei Lucas. 'Zeg op: ik ben een baby met een roze spaarvarken.'
Evert stompte me weer in mijn maag. Tranen sprongen me in mijn ogen. Ik hoestte en kokhalsde.
Lucas haalde mijn fluit te voorschijn en zwaaide er mee voor mijn neus. 'Zal ik hem dan toch maar doorbreken?'
Ik stak mijn hand op. 'Nee! Niet doen. Niet doen.'
Lucas keek me strak aan. 'Zég het,' siste hij tussen zijn tanden.
Ik schaamde me kapot. Ik moest het wel zeggen. Wat kon ik anders?
'Harder!' riep Lucas.
'Ik ben een baby met een roze spaarvarken!' Mijn stem galmde en weerkaatste tegen de muren van de pakhuizen.
'Goed zo!' riepen Lucas en Evert tegelijk. Ze spuugden allebei op de grond, precies voor mijn voeten.

'Nu het geld,' zei Evert. 'Twintig gulden te weinig.'

'Ik heb niet meer,' zei ik zachtjes. Ik wreef over mijn ogen.

'Geen geld, geen fluit,' snauwde Evert en hij wilde Lucas mijn fluit uit handen trekken. Lucas duwde hem terug en schudde zijn hoofd. 'Blijf af. Denk na: als zijn vader merkt dat die fluit weg is, komt er gedonder. Die fluit krijgt hij terug.'

'Maar . . .' Evert wilde protesteren.

'Geen gemaar.' Lucas deed de fluit terug in de tas en keek me aan. 'Die fluit krijg je dadelijk terug. Maar eerst ga je nog iets voor ons doen.'

Ik wist wat er ging komen.

Net zoals de vorige avond speurden Evert en Lucas de Hoofdstraat af. De eerste oude vrouw die voorbij kwam had geen tas, alleen een mollig poedeltje. Het worteldieet van mijn moeder zou hem goed doen. Na nog een poosje wachten, verscheen het 'ideale slachtoffer'. In haar ene hand hield ze een stok waarop ze leunde bij elke stap, aan de andere hand zwaaide een handtas heen en weer.

'Die moet je hebben,' zei Lucas met een hoofdknik.

Ik kroop in elkaar. Ik keek de vrouw na. Ze liep zo zachtjes, alsof ze een schaaltje met eieren droeg.

'Ik kan het niet,' kreunde ik.

Lucas vloekte. 'Ik hoop dat je beseft dat dit echt de allerlaatste kans is om je fluit terug te krijgen.'

'Maar ik heb jullie toch geld gegeven,' probeerde ik. 'Het is niet eerlijk . . .'

'Wat niet eerlijk?' beet Evert me toe. 'Je komt twintig

gulden tekort.'
'Volgende week krijg ik zakgeld,' probeerde ik weer.
'Volgende week, wat volgende week.' Lucas stompte
me in mijn zij. Ik slaakte een kreet van pijn. Er kwamen
een paar mensen voorbij. Ze keken even op maar liepen
gewoon door.
'Wil je er nog een?' vroeg Lucas.
Ik liet mijn hoofd hangen. Lucas duwde me in mijn rug.
'Lópen,' zei hij. 'Ik zeg het je niet nog een keer.'
En ik liep. Voorbij de drogist, langs de speelgoedwinkel,
de bakker, en toen naar de zijstraat waarin de vrouw
even tevoren was verdwenen. Ik dacht nergens meer
aan, rende en rukte de tas uit haar hand. Ik voelde,
hóórde dat de vrouw viel maar ik keek niet meer om.

In de portiek bij de juwelier wisselden we: ik kreeg mijn
fluit, Evert griste de handtas uit mijn vingers. 'Weet je
wat je bent?' zei hij. Ik huiverde onder zijn blik.
'Je bent een vuile dief, jij. Pas maar op dat de politie je
niet pakt!'

Hoofdstuk Zeven

Ik had het gevoel dat iedereen aan me moest kunnen zien wat ik had gedaan. Dat ze zich zouden omdraaien op straat, naar me zouden wijzen. Dat onmiddellijk een politieauto met loeiende sirene achter me aan zou komen, maar er gebeurde niets.

Eén ding was me duidelijk: Lucas en Evert hadden hun zaakjes heel slim aangepakt. Het was zoals Evert had gezegd: ík was de dief. De kans om Lucas en Evert aan te geven was nu wel goed verkeken. Ik zou zelf ook worden opgepakt. Ik moest aan mijn vader denken. Pap zou uit elkaar ploffen als hij hoorde wat er was gebeurd.

Ik ging naar huis. Ik bedacht allerlei smoezen om zo gauw mogelijk naar mijn kamer te kunnen verdwijnen, maar er was niemand thuis; ik kon zonder moeite naar boven.

Ik nam een zak Engelse drop mee uit de keukenkast. Ik ging op mijn bed liggen en scheurde de zak open. Ik schrokte de dropjes achter elkaar naar binnen. Ik nam niet eens, zoals anders, de moeite om met mijn tanden de laagjes kokos er van af te schrapen. Ik at maar en at maar. En ik wist absoluut niet wat ik moest doen.

De volgende dag ging ik weer naar Roos. Ik ging er heen zonder dat ik precies wist wat ik er wilde doen. Aan de ene kant had ik het gevoel dat ik klapte. Dat ik gek zou worden als ik niemand zou zeggen wat er was gebeurd. Maar tegelijkertijd wist ik dat praten alles alleen maar erger zou maken, want Roos zou natuurlijk vinden dat ik thuis alles moest vertellen.

Uit gewoonte liep ik achterom. De keukendeur zat op slot. Ik herinnerde me dat Roos had gezegd dat ik voortaan moest aanbellen. Ik wilde net omlopen toen ik het hoofd van Roos voor het keukenraam zag. Roos zwaaide. Even later hoorde ik aan het gemorrel in het slot dat ze de deur voor me openmaakte. 'Dag lieverd,' zei ze. Ik stapte de keuken in. Achter mijn rug draaide ze de deur weer op slot. 'Het lijkt hier wel een gevangenis!' Ik schreeuwde. Ik schrok er zelf van. Misschien kwam het omdat ik 's nachts nauwelijks had geslapen.

Roos legde een hand op mijn arm. 'Jij komt vast je muziekboek ophalen. Wacht . . . ik pak het. Gaat het wel goed, Alex?'

Er schoot een prop in mijn keel en ik kon er geen woord meer uit krijgen. Roos keek me onderzoekend aan. Ze gaf me het muziekboek. Ze had de bladzijden weer op volgorde gelegd en vastgeniet. Het zag er redelijk goed uit.

'Ik heb het gestreken,' zei Roos. 'Hoe vind je dat? Het was de enige manier om het papier weer glad te krijgen. Kopje thee? Ga zitten?' Ik knikte langzaam en legde het muziekboek naast me op tafel. Roos wist dat er iets mis was. Waarom vroeg ze niets? Waarom ging ze nu, juist nu, thee zetten? Waarom zei ze niet: Alex kom op joh, wat is er met je aan de hand? Vertel het me. Ik wil het weten.

Waarom had ik het altijd prettig gevonden dat Roos nooit iets vroeg?

Een huis-aan-huis-krant lag opengeslagen op tafel. Ik zag een advertentie van de slager. Er waren magere varkenslappen in de aanbieding. Roos zette een beker thee voor me neer en ging tegenover me zitten. En toen zei ik ineens: 'Ik heb nog een roze spaarvarken.'

Waarom zei ik dat? Het sloeg nergens op. Kon het echt zo zijn dat je door gebrek aan slaap dingen ging zeggen die je anders niet zou hebben gezegd?

Ik bedoel . . . er was iets afschuwelijks gebeurd. Dáár wilde ik over praten. Niet over dat spaarvarken.

Maar Roos zei: 'O ja?'

'Ja!' snauwde ik. 'Kinderachtig hè?' Ik perste mijn lippen op elkaar. Roos roerde in haar beker thee. 'Och,' zei ze. 'Kinderachtig .. Wat is kinderachtig? Ik had vroeger een prachtige spaarpot. Het was een mannetje. Zijn mond was de gleuf waar het geld in kon. Dat geld moest je eerst bij dat mannetje op de hand leggen. Als je dan een hendeltje overhaalde, stopte hij dat geld in zijn mond.' Roos glimlachte. 'Ik zou willen dat ik die spaarpot nog had.'

'Maar een roze spaarvarken,' zei ik, 'dat is iets anders. Dat is toch echt meer iets voor een baby!'

'Als jij vindt dat je daar te oud voor bent, dan doe je hem weg. Ik denk alleen dat je je moet afvragen wié iets kinderachtig vindt: jij of iemand anders.' Roos zette haar beker op tafel. Ze stond op en liep naar het dressoir. Ze rommelde wat in een la en kwam terug met een onooglijk bruin lappen popje.

'Is het van jou?' vroeg ik 'Van toen je klein was bedoel ik.' Roos schudde langzaam haar hoofd. 'Nee . . . weet je van wie dit was? Van je opa.'

Ik moet verbaasd hebben gekeken, want ze glimlachte. 'Toen wij trouwden bracht jouw opa dit popje mee. Kun je het je voorstellen: een grote, sterke kerel van vijfentwintig jaar. Kinderachtig? Ik vond het geen moment kinderachtig. Ik vond hem ontzettend lief, juist omdat hij zo klein en kwetsbaar kon zijn, zo'n popje durfde te bewaren.' Ze aaide er met haar vingers over. 'Piet,' ze lachte hardop. 'Pietje, zo heet hij. Het is een van de dierbaarste herinneringen die ik aan je opa heb, weet je dat.'

We zwegen. Ik dacht aan Bram de bruine beer die jaren naast me had geslapen. Ik wist niet eens waar hij was gebleven. Op zolder? Misschien had mam hem weggegeven voor een bazar of zo. Hij was in elk geval niet meer op mijn kamer. Ik zou me kapot schamen als iemand hem zag.

Na een uur ging ik weg. Ik had het muziekboek onder mijn jack gestopt. Ik stak de straat over, klom tegen de dijk op en keek naar beneden naar het wiel. De zon scheen op het water, ik moest mijn ogen half dicht knijpen. Er zwommen een paar eenden. Verder bewoog er niets. Het wiel was aan alle kanten door dijken omgeven. Een heerlijk, rustig plekje dus, waar je vanaf de straat door niemand werd gezien.

Ik liet me aan de andere kant van de dijk naar beneden glijden. Er kwamen daar regelmatig mensen om te vissen, maar nu was er niemand.

Ik ging zitten, staarde in het water. Ik dacht eigenlijk nergens aan. Nagedacht had ik al zoveel.

Ik trok grassprietjes uit de grond en maakte er een bergje van op de neus van mijn schoen.

Plotseling vloog er iets langs mijn hoofd. Ik schrok me naar. Ik hoorde dat er iets in het wiel plonsde, een steentje of zo. Onmiddellijk had ik me omgedraaid.

Op de dijk stonden Evert en Lucas.

Ze kwamen naar beneden.
'Hallo!' schalde Everts stem.
Ik sprong op en wilde wegrennen, maar nog voordat ik
een stap had gezet, pakten ze me vast. Het eerste waar
ik aan moest denken was het muziekboek. Ik was als
de dood dat ze het weer zouden afpakken.
'En, Kippebotje . . .' Lucas' stem klonk niet onvriende-
lijk.
Wantrouwig keek ik hem aan.
'Hoe gaat het met je sinds gisteravond? Goed? Nou, ik
moet zeggen, je hebt het keurig gedaan hoor. Dat mag
je nog eens doen.'
De haartjes in mijn nek gingen overeind staan. 'Hoezo
. . . n-nog eens,' bracht ik uit. Wat waren ze nu weer
van plan?
'Precies zoals ik het zeg,' antwoordde Lucas. 'Nog . . .
eens. Moet ik het soms voor je spellen?'
'Je hebt toch wel oren is het niet?' snauwde Evert. 'Ben
je soms doof. Sta daar niet te kijken alsof je een half
zacht ei bent!'
Ik keek om me heen. Ik zat als een muis in de val. Er
zou iemand op het idee moeten komen een wandelingetje te maken over de dijk, of een hengelaar zou hier
zijn stekkie moeten zoeken. Maar anders was ik alleen.
'Kom maar eens met ons mee,' zei Lucas. 'Dan gaan we
weer een tasje uitzoeken . . .'
Ik schudde mijn hoofd.
'Ik geloof niet dat jou iets werd gevraagd,' snauwde
Lucas. 'Meekomen.' Hij trok me aan mijn mouw. Ik

probeerde hem een stomp te geven, maar ik raakte hem nauwelijks en nog geen tel later had hij me te pakken en smeet hij me tegen de grond. 'Geen stomme streken hè,' schreeuwde hij.

'We gooien hem in het wiel,' zei Evert. 'Dan kan hij afkoelen.'

'Mijn boek!' dacht ik. Dat ik zelf nat zou worden vond ik niet zo erg, maar m'n muziekboek!

Evert begon aan me te sjorren en trok me in de richting van het water. Ik probeerde overeind te krabbelen.

'Ach, schei uit,' zei Lucas. 'Geld moeten we hebben. Wat hebben we eraan als hij in het water ligt.'

Morrend liet Evert me los. 'Jij moet ook altijd gelijk hebben,' zei hij. Lucas haalde zijn schouders op. 'Ik denk tenminste na. Jij kletst alleen maar uit je nek.' Hij porde me met zijn schoen. Ik kwam overeind en keek weer naar de dijk. Ik had echt geen schijn van kans.

Niemand zei meer iets, dus keek ik aarzelend op. Lucas is een kop groter dan ik. Hij keek spottend op me neer. 'Beetje bang, jochie?'

Als ik door de grond had kunnen verdwijnen, had ik het gedaan.

Lucas begon zogenaamd-vriendelijk op me in te praten. Dat het de avond daarvoor zo goed was gelukt en dat me niks zou overkomen als ik maar deed wat ze zeiden.

'Maar waarom moeten jullie mij steeds hebben?' Ik schreeuwde. 'Laat me met rust. Ik heb jullie toch niets gedaan.'

Ze begonnen tegelijkertijd te grinniken, Lucas en Evert. Toen zag ik pas voor het eerst dat ze toch een beetje op elkaar lijken. Lucas heeft dezelfde blauwe babyoogjes.

Babyoogjes . . . De rotzakken.

'Nou,' zei Lucas. 'Ga maar gauw mee. Op zaterdag doen de oude dametjes inkopen voor het weekend, dus dan hebben ze een lekker dikke portemonnee in hun tasje.'

Zweet liep in straaltjes langs mijn zij.

'Lopen!' commandeerde Lucas.

Ik bleef staan.

'Lopen!' Ik kreeg een duw in mijn rug, zodat ik een meter naar voren vloog, maar zelf maakte ik geen aanstalten om vooruit te komen.

'Een beetje koppig hè,' zei Lucas met toegeknepen oogjes. Dat is niet verstandig, weet je dat. Koppig zijn is zelfs heel gevaarlijk. Bedenk eens . . . wat er allemaal met jouw lieve oma kan gebeuren als jij niet doet wat wij willen.'

'Laat mijn oma erbuiten!' bracht ik uit. Roos . . . wat had Roos er mee te maken?

Lucas glimlachte. 'Misschien valt jouw oma wel van de trap als jij niet naar ons luistert. Da's niet zo best hoor, als oude mensen vallen. Dat kan heel gevaarlijk zijn.'

Ik voelde dat ik begon te beven. Vooral mijn knieën, ik kon ze niet stil houden. 'Wil je zeggen dat jij haar dan van de trap duwt?' vroeg ik. Mijn stem klonk gek hoog.

'Ikke?' zei Lucas, en hij trok een onschuldig gezicht.

'Welnee, ik zou niet durven. Hoe kom je erbij? Ik doe geen vlieg kwaad. Ik zeg alleen maar dat je beter kunt doen wat wij zeggen en dat jouw oma anders misschien van de trap valt.'

Mijn handen waren ijskoud. Ik stopte ze in de zakken van mijn broek. 'Je chanteert me,' zei ik. 'Ik ga naar de

politie. En dan vertel ik alles.'
'Dat moet je vooral doen,' riep Lucas uit. 'Wie is er hier
een dief? Jij! Hoor je dat? Jij!'
'Jullie dwongen me!' Ik schreeuwde bijna.
'Ha, ha, bewijzen!' riep Evert. En Lucas lachte ook. 'Zo
is dat. Bewijs dat maar eens. Jij hebt gisteravond dat
vrouwtje beroofd. Weet je hoeveel ze in haar tasje had?
Twaalfhonderd gulden!'
'Je bluft!' piepte ik.
Lucas keek even naar Evert en haalde toen heel langzaam
een bundeltje geld tevoorschijn. Het waren allemaal
briefjes van honderd. Ik kreunde.
'Jíj hebt ze gestolen!' zei Lucas weer. 'Ga jij maar naar
de politie. Ik denk dat ze blij zijn je te zien.'
Ik wist het niet meer. Niets wist ik meer.
Ik ging met ze mee. In het winkelcentrum namen we
post tegenover de dameskapsalon. Lucas gaf me instruk-
ties terwijl Evert me van tijd tot tijd porde en stompte.
Ik keek naar de voorbijscharrelende mensenmassa. 'Het
is zo druk,' zei ik zachtjes.
'Da's juist handig,' antwoordde Lucas. 'Je bent zó tussen
al die anderen verdwenen. Wat wil je nog meer.'
'Maar iedereen ziet me,' bracht ik uit.
'Ach kom, denk je dat er iemand naar die kop van jou
kijkt?'
''s Avonds lijkt me veiliger.'
'Schei nu eens uit. Ik word niet goed van jou.'
De deur van de kapsalon ging open en een oude mevrouw met keurige krullen kwam naar buiten. Ze droeg
een zwarte schoudertas. Ze keek even om zich heen,
voelde aan haar haren en liep daarna de winkelstraat in.

'Die moet je hebben,' zei Lucas. 'Dat lijkt me een rijke ouwe tante.' 'Waarom laten jullie me niet met rust,' probeerde ik weer. Maar Lucas vloekte en gaf me een duw. 'Opschieten!'

Er waren zoveel mensen. Ik moest oppassen dat ik de vrouw niet kwijtraakte.

Het ging net als de keer daarvoor: toen ik eenmaal begon te rennen, was ik niet bang meer, dacht ik nergens aan. Toen ik vlak bij de vrouw was, gaf ik al rennend een ruk aan haar tas.

Maar ze liet niet los.

Ik rukte nog een keer. Ze hield de tas met twee handen omklemd, keek me aan en gilde.

Ik kon maar één ding doen: los laten en rennen, zo hard ik kon. Iemand pakte me bij mijn arm, maar het lukte me om los te komen. Nog nooit had ik zo hard gelopen.

Hoofdstuk Acht

De rest van de dag was ik bang. Als de telefoon ging, had ik maar één gedachte: Lucas en Evert.

Ik bleef de hele dag binnen. Toen het avond was, hadden Lucas en Evert nog steeds niets van zich laten horen.

Zondag werd een soort herhaling van zaterdag: ik wachtte angstig af. Maar er gebeurde niets.

Met pijn in mijn buik ging ik die maandag naar school. Op de fiets, terwijl ik anders altijd loop.

Ik trapte als een bezetene. Ik werd bijna door een auto geschept doordat ik nauwelijks op of om keek. Het was een soort struisvogel-gedachte: zolang ik maar niemand zag, had ik het gevoel dat Lucas en Evert mij ook niet zagen.

Op school voelde ik me veilig: ik kon er niet gebeld worden. In de pauze bleef ik zo ver mogelijk van het hek. Na schooltijd racete ik weer naar huis. Ik reed als een gek. Toen ik thuis kwam, had ik het gevoel dat mijn hart in mijn keel zat. Hijgend zette ik mijn fiets in de schuur.

Ze hadden me niet te pakken gekregen!

Waren ze er wel geweest maar had ik ze niet gezien? Het kon me niets schelen. Duizend keer had ik me ingebeeld dat ze me stonden op te wachten.

En nu was ik thuis, zonder dat er ook maar iets was gebeurd.

Ik moest voor school een paar kranteknipsels hebben over apartheid. Ik nam een slok cola en spreidde de krant uit over tafel. Meteen op de voorpagina al stond een artikel over Zuid-Afrika. Zorgvuldig knipte ik het uit. Op de tweede pagina stonden weersvooruitzichten, een puzzel en een recept. Daar had ik dus weinig aan. Ik stopte een toffee in mijn mond en ging door naar pagina drie. Daarop stond plaatselijk nieuws. Ik wilde net omslaan toen ik een klein berichtje zag:

Tasjesdief
Zaterdag rond het middaguur was in het centrum opnieuw een tasjesdief actief. De tweeënzestig jarige mevr. A. W. voelde een ruk aan haar tas. Ze liet echter niet los. Toen zij begon te gillen ging haar belager er vandoor. Mevrouw A. W. kon de politie een goed signalement van de dader verstrekken. Het was een plusminus twaalfjarige jongen met blond haar. De jeugdige dief was gekleed in een blauw jack.

Met een ruk stond ik op. De jeugdige dief . . . IK!
Een paar tellen was ik te verbijsterd om wat te doen.
Toen liep ik naar de gang, trok mijn jack van de kapstok en rende met twee treden tegelijk de trap op.
Dat jack deed ik nooit meer aan!
Ik rilde over mijn hele lichaam.
Ik trok mijn kasten open en zocht een plaats onder mijn bed. Daarna rende ik naar de zolder. Het was er warm en rook er benauwd. Een dikke bromvlieg tikte tegen het raampje. Er staan massa's dozen en een grote kast waarin mam bloempotten en weckflessen bewaart. Achter de kast is een flinke spleet. Ik duwde mijn jack erin en slaakte daarna opgelucht een zucht: er was niets meer van het jack te zien.

De bromvlieg ging zo hard tekeer dat ik naar het raampje toeliep en de vlieg liet ontsnappen. Er dreef koele lucht naar binnen. Ik haalde diep adem en leunde met mijn hoofd tegen de muur.

Hoeveel duizenden mensen zouden dat kranteberichtje lezen? Zou er iémand zijn die tijdens het lezen aan míj dacht?

Ik probeerde mezelf gerust te stellen met de gedachte dat ik vast niet de enige jongen was met blond haar en een blauw jack. Maar stel dat pap of mam het las. Zouden ze dan niet . . .

Ik had de krant op tafel laten liggen! Waar was pap?

Ik probeerde door het dakraam in de tuin te kijken maar het raam zat te hoog. Dus denderde ik de trap af.

Pap had een vrije dag. Toen ik thuiskwam was hij gras aan het harken. Moest hij daarna nog een ander karweitje doen of was hij naar binnen gegaan?

Ik miste een tree en gleed een eind naar beneden. Ik kon me net op tijd aan de leuning vasthouden.

'Wat doe je?' Paps stem.

Ik liep de huiskamer in.

Pap zat in zijn luie stoel, de krant opengeslagen op zijn knie. 'Wat was dat nou?' vroeg hij met opgetrokken wenkbrauwen. 'En wat zie je bleek. Voel je je niet lekker?'

'Pap! ík was de krant aan het lezen,' bracht ik uit.

'Dat heb ik gezien ja,' antwoordde pap. Hij keek door het gat in de voorpagina. 'Je wordt bedankt. Wil je de volgende keer wachten totdat je vader en moeder de krant uit hebben?'

'Ja, maar,' stamelde ik.

Pap kreeg een ontevreden trek om zijn mond. 'Wat ja maar? Wat heb je uitgeknipt?'

'Iets voor school. Over apartheid.'

Pap sloeg een bladzijde om. 'Da's prima. Maar nou lees ík hem eerst.' Ik dacht dat ik gek werd. Ik liep maar wat bij de tafel rond. Ik wilde achter pap gaan staan om te kijken welke pagina hij aan het lezen was, maar ik was bang dat het misschien te veel zou opvallen.

Ik gluurde naar paps gezicht. Het zag er onbewogen uit. Pap had een tandestoker in zijn mond waar hij op kauwde. Plotseling zag hij blijkbaar een interessant stuk want hij vouwde de krant twee keer dubbel waarna hij hem als een boekje voor zich legde.

Ik hield het niet langer uit, liep achter hem langs en keek over zijn schouder.

Hij las een artikel over chemisch afval.

Ik hoorde een auto ons tuinpad oprijden. Dat moest mijn moeder zijn. Pap keek op van zijn krant. 'Daar heb je mama,' zei hij. 'Zet jij even koffie?'

Dat was zo ongeveer wel het laatste waar ik zin in had. Ik hoorde het dichtslaan van de garagedeur en keek door het raam. Mam gooide haar tas met een zwaai over haar schouder. Ze liep met snelle pasjes, haar voeten zwikten op haar hoge hakken.

Zuchtend ging ik naar de keuken. Ik maakte het deksel van het koffiezetapparaat open. Er zat een nat smerig zakje in, gevuld met koffiedrab. Met twee vingers viste ik het eruit.

Mam kwam achterom. Ze rukte de keukendeur open, schopte haar schoenen uit en smeet haar tas op tafel. 'Waar is papa?' vroeg ze, terwijl ze de kamer inliep.

Ik liep haar achterna.

'Je houdt het niet voor mogelijk,' riep ze uit.

Papa keek op uit het artikel.

'Mijn moeder heeft haar enkel verzwikt. Ze kan nog geen twee stappen lopen. Het is gisteren al gebeurd. En als je nou denkt dat ze me even om hulp vraagt . . . Nee, nee, eigenwijs, alles zelf willen doen. 't Is dat de wijkzuster me heeft gebeld, die was er toevallig vandaag, anders had het misschien nog wel een week geduurd voordat ik er achter was gekomen.' Pap legde de krant naast zich neer.

Mama plofte in een stoel. 'Ik heb gezegd dat ze maar mee moest komen, hier naar toe. Maar nee hoor, dat wil ze niet. Ik vind het onverantwoord dat ze daar nog alleen woont. Vandaag verzwikt ze haar enkel, morgen breekt ze misschien haar heup.'

Ik wist precies wat er komen ging: mam zou weer over het bejaardenhuis beginnen.

Ik gaf Roos groot gelijk dat ze in haar eigen huis was gebleven.

'Hoe kwam dat eigenlijk?' vroeg ik, 'dat ze haar enkel heeft verzwikt? Is ze gevallen?'

Mam knikte. 'Van het keukentrapje, de onderste tree. Ze had de ramen gezeemd. Nou vraag ik je, ramen zemen dat doet een mens van haar leeftijd toch niet.'

Ik liep terug naar de keuken en glimlachte. Over tien jaar, als Roos tweeëntachtig was, zou ze waarschijnlijk nog zelf de ramen willen lappen.

'Een gammel trapje natuurlijk . . .' klonk mama's stem uit de kamer. En ineens leek het of Lucas voor me stond met zijn lange lijf, zijn blauwe oogjes. 'Pas maar op dat

jouw oma niet van de trap valt,' zei hij.
Er ging een rilling over mijn rug, die bovenin mijn nek begon en ijskoud naar beneden liep.
Ik liet het filterzakje vallen. De kleffe koffiedrab klapte op de tegelvloer.

Hoofdstuk Negen

Nog voor schooltijd ging ik naar Roos. Ik had een koppijn waar je misselijk van werd. In de spiegel had ik al gezien dat ik bleek was en dat ik dikke wallen onder mijn ogen had. Ik voelde me vreselijk moe. Het lukte me nauwelijks om hard te fietsen maar ik dwong mezelf om zoveel mogelijk vaart te maken.

Toen ik mijn fiets bij Roos voor het huis zette, werd het een paar tellen zwart voor mijn ogen. Ik zocht houvast aan mijn stuur en wachtte totdat de duizeligheid wegtrok. Ook die nacht had ik amper geslapen.

Ik belde aan. Ik wachtte een hele poos, maar er werd niet opengedaan. Toen deed ik de klep van de brievenbus omhoog en keek ik naar binnen. Ik zag alleen de kapstok en de paraplubak.

'Roos! Roos maak eens open! Ik ben het: Alex.'

Er klonk een geluid. Een klap. Alsof er iets om was gevallen. Toen pas bedacht ik dat Roos bijna niet kon lopen en het haar waarschijnlijk veel moeite kostte naar de voordeur te komen.

'Ik ben er zo,' hoorde ik Roos' stem. Door de brievenbus zag ik de klink van de huiskamerdeur naar beneden gaan. Roos kwam hinkend het halletje in. Ze steunde zwaar op een stok.

'Tjonge, wat ben jij vroeg,' zei ze terwijl ze me binnenliet. Haar haren zaten verward en haar jurk was gekreukt. 'Moet jij niet naar school?'

'Je moet me precies vertellen wat er is gebeurd,' zei ik.

Bevreemd keek ze me aan. 'Nu je hier toch bent, kun je me wel even ondersteunen. Vooruit, geef me eens een arm.'

69

Ik hielp haar naar de huiskamer. Op de bank lagen een paar kussens en een deken. Op een tafeltje ernaast stonden een fles melk en een beker.

'Waar wil je zitten?' vroeg ik.

Ze wees me een stoel aan. Het kostte me de grootste moeite om te wachten tot ze zat. Maar toen barstte ik meteen los: 'Wanneer zijn ze hier geweest?'

'Wie?'

'Wie? Roos! Dat je mijn moeder vertelt dat je je enkel hebt verzwikt tijdens het ramen zemen moet jij weten. Maar míj ga je toch niet voor de gek houden hè.'

Roos knipperde met haar ogen. 'Alex, waar heb je het in hemelsnaam over?'

Ik sloeg met mijn vlakke hand op tafel. 'Ik weet alles, álles, hoor je. Ze hebben je van de trap geduwd.'

'Wie hebben mij van de trap geduwd?'

'O schei uit!' Tranen dropen uit mijn ogen.

'Alex!' De stem van Roos klonk schril. 'Waarom ben je zo over je toeren? Ga toch eens even rustig zitten.'

'Ik ga niet zitten!' Gillen wilde ik. Krijsen. Er zat zoveel angst en onmacht in me.

'Alex, wat is er toch met je gebeurd? Ik ben gewoon van het keukentrapje gevallen. Dat kan toch? Hoe kom je er bij dat iemand mij heeft geduwd? Wie zou er zoiets moeten doen?'

Ik huilde nu echt. Ik had geen zakdoek dus veegde ik onophoudelijk met de rug van mijn hand over mijn gezicht.

'Alex, wie zou dat hebben gedaan?' vroeg Roos weer. Haar stem klonk dwingend.

Ik jankte maar door. Mijn lippen smaakten zout en snot

liep uit mijn neus. Roos reikte me een zakdoek aan.

'Ik weet alles!' zei ik weer. 'Die jongens die jou hebben overvallen, zijn terug gekomen.'

Roos schudde met haar hoofd en trok haar mondhoeken naar beneden. 'Als ik het niet dacht,' bracht ze uit. 'Nu ben je net je moeder. Ik had je niets moeten vertellen van die overval. Je gaat de grootst mogelijke onzin in je hoofd halen.'

Op dat moment had ik haar wel door elkaar kunnen rammelen en schoppen.

Ik liep naar de deur. 'Als je mij niet in vertrouwen wilt nemen dan moet je het maar laten,' schreeuwde ik.

'Je moet je niet zo van streek maken. Je moet je niet mee laten voeren door je fantasie!' schreeuwde Roos terug.

Ik liep naar de deur. Roos riep me terug maar ik deed net of ik haar niet hoorde.

Het was alsof ik een klap in mijn gezicht had gekregen. Ik heb altijd gedacht dat we vrienden waren, Roos en ik. Nou, geweldig. Mooie vrienden! Ik wilde niets meer met haar te maken hebben. Toen ze me na schooltijd belde, wilde ik ook niet aan de telefoon komen.

'Wat mankeert jou?' vroeg mam. 'Oma vraagt speciaal naar je.' Ik rende naar boven en knalde de deur van mijn kamer achter me dicht.

Ik wilde maar één ding: met rust gelaten worden. Dat leek onmogelijk te zijn: als mam niet aan mijn kop zat te zeuren dan deed pap het wel. En op school was het mijn onderwijzer die achter mij aan liep. En allemaal wilden ze weten wat er met me was. Moest ik dan soms een bord om mijn nek hangen waarop stond 'er is niets aan de hand?' Zouden ze me dan met rust laten?

Woensdagmiddag was ik vrij van school. Ik lag languit op mijn bed en staarde naar het plafond. Ik dacht na. Althans, dat probeerde ik. Ik had wel eens een film gezien over een spin die een vlieg ving. De vlieg zat aan alle kanten in een kleverige draad verstrikt.
Nog nooit had ik zoveel problemen gehad.
Van mam hoorde ik dat Roos bij een nicht ging wonen totdat haar enkel was hersteld. Mam was beledigd geweest. Ze vond het onvoorstelbaar dat Roos wel bij die nicht introk en mams aanbod om bij ons te komen, had afgeslagen.
Ik was blij dat ze niet bij ons kwam.
Hoe kon je boos zijn op iemand en tegelijkertijd verdriet hebben omdat je boos was?
Als je verdriet had, was je dan nog wel echt boos?
Ik keek naar mijn raam. Er stond een vliegenhor voor. De wind blies naar binnen zodat de gordijnen een golvende beweging maakten. Ik hoorde een merel. Ergens blafte een hond. Ik hoorde dat de deur bij de buren werd geopend en dat de mevrouw van nummer zesennegentig zoals iedere woensdag met de keukenmat tegen haar muur sloeg.
Was ik boos?
Ja. Ik was nog steeds boos.
En verdrietig?
Ja. Dat was ik ook.

Het een hoefde dus het ander niet uit te sluiten.

Ik moest denken aan wat Roos nog niet zo lang daarvoor tegen me had gezegd: als je niet weet hoe het is om ongelukkig te zijn, weet je ook niet hoe het is om gelukkig te zijn.

Ik stond op. Mijn bed kraakte. Ik liep naar het raam. De haartjes op mijn arm gingen rechtop staan en ik huiverde terwijl ik mijn neus tegen het vliegenhor duwde. De wind streek door mijn haar.

Dus volgens Roos zou ik nu blij moeten zijn. Hoera, hoera, ik voel me ellendig.

In het huis aan de overkant zag ik plotseling een wieg voor het raam staan. In de tuin wapperden luiers aan de waslijn.

Vanuit onze huiskamer klonk een opgewonden stemmetje.

Ik wist dat een van mams zogenaamd te dikke vriendinnen vanmiddag koffie, pardon: een glaasje wortelsap zou komen drinken en haar zoontje mee zou brengen. Mam had me tenminste een paar autootjes afgetroggeld. Gek is dat: ik deed er nooit meer wat mee maar toch vond ik het een vervelende gedachte dat dat kind met mijn autootjes speelde. Ik besloot naar beneden te gaan.

Mam zat naast haar vriendin op de bank. Het jongetje lag op zijn buik op de grond en parkeerde mijn autootjes keurig op een rij tussen de stoelpoten. Precies zoals ik het altijd had gedaan.

'Dag Alex,' zei de vriendin. Ik had haar al eens eerder gezien maar ik was haar naam vergeten. Ze gaf me een hand. 'Hoe gaat het op school?'

'Goed.' Waarom vroegen grote mensen altijd hoe het

op school ging. Alsof dat het enige was waarover ze met een kind konden praten.

Het jongetje was overeind gekrabbeld en ging voor me staan. Hij keek me lachend aan.

'Da's Vincent,' zei zijn moeder. 'Vincent, zeg eens dag.'

Vincent zweeg en keek naar de grond.

'Hij kan wel praten hoor,' zei zijn moeder.

Raar vond ik dat, om zoiets te zeggen. Natuurlijk kon hij praten. Hoe oud was hij. Minstens twee. Waarom zou ik denken dat hij niet kon praten. 'Wil je een koekje?' vroeg mam.

Ik stak mijn hand uit naar de trommel. Vincent kwam naast mij staan. 'Jij hebt er al een op,' zei zijn moeder op een waarschuwend toontje. 'Geeft niets,' zei mam. 'Kom maar.'

Vincent pakte een koekje, stopte het meteen in zijn mond en kroop onder tafel.

Ik vind kleine kinderen wel leuk. Wanneer je groter bent dan zij, denken ze dat je alles weet en alles kunt. Ik vind het leuk om ze iets te leren. Misschien wil ik later wel onderwijzer worden.

Ik ging naast hem liggen en liet samen met hem de autootjes tussen de stoelpoten rijden. Ik liet hem zien hoe van enkele autootjes de deurtjes open konden, en we gebruikten een laag plantentafeltje als benzinestation.

'Waarom gaan jullie niet even naar buiten?' klonk mams stem. 'Alex? Je zit al de hele middag binnen. Misschien vindt Vincent het wel leuk om even naar het konijn bij de buurvrouw te kijken.'

Ik was liever binnen gebleven. Het was zo lang geleden

dat ik op mijn buik op de grond had gelegen en met mijn vinger de autootjes had bestuurd.

'Een konijn?' zei mama's vriendin. 'O, dat vindt Vincent vast enig. Vincent is dol op dieren, hè schat.'

'Nou, goed dan,' zei ik en kwam overeind. Ik stak mijn hand uit naar het jongetje. 'Ga je mee?'

Even later liepen we samen buiten. 'Kom maar,' zei ik, 'dan gaan we hierheen.'

De buurvrouw was niet thuis, maar ik nam Vincent toch mee naar haar achtertuin. Ik wist dat ze dat niet erg zou vinden.

Het konijn zat in een kooi, afgeschermd met kippegaas. Het was een wit konijn. Het dier had fletsrode ogen met donkerrode pupillen en zijn roze neusje ging snuffelend op en neer. Vincent klapte opgewonden in zijn handen. 'Aaien, aaien,' riep hij, maar nu de buurvrouw niet thuis was, durfde ik het gaas niet los te maken. Ik liet Vincent zien hoe hij een vinger door de gaatjes kon steken en zo toch het konijn kon aaien. Iedere keer als hij het konijn even had aangeraakt, trok hij kraaiend en griezelend zijn vinger terug. Ik moest erom glimlachen.

'Konijn wil eten,' zei Vincent en nam een paar kiezelsteentjes van het tuinpad.

'Dat kan toch niet,' zei ik. 'Een konijn kan toch geen stenen eten. Pluk maar wat gras voor hem. Of, kijk hier, blaadjes van een paardebloem, die vindt hij ook lekker.'

Vincent plukte met veel moeite piepkleine stukjes van het paardebloemblad en gooide die door het gaas. Het konijn sprong erop af en begon meteen te eten.

Ik houd niet van konijnen in hokjes. Ik vind ze zielig. Eigenlijk moet ik dus zeggen dat ik wel van konijnen houd, maar niet van de hokjes. Ik denk dat wanneer je echt van dieren houdt, je ze vrij laat. Als je een goudvis hebt die de hele dag rondjes zwemt in een kom, houd je dan van dieren?

Of als je een vogeltje hebt, dat in een kooitje zit? Ik denk dat je meer van jezelf houdt dan van het vogeltje. Anders zou je willen dat zo'n vogeltje in vrijheid zou leven. Gewoon, lekker vliegen, zoals de mussen en de merels.

'Eenden, vind je eenden ook leuk?' vroeg ik.

Vincent keek me aan met één dichtgeknepen oog, en knikte.

Ik stak mijn hand weer uit. 'Kom maar,' zei ik. 'Ik weet een vijver met eenden.'

We liepen er heen. Vincent stopte om de vijf passen om kiezelsteentjes op te rapen en in zijn broekzakken te stoppen.

De vijver, niet ver van ons huis, lag in een park. Vincent vond een grote tak die hij als een hondje achter zich aan trok. 'Kijk,' zei ik, 'daar zijn de eenden.'

Vincent ging op zijn hurken zitten en keek uit over de vijver. De eenden hadden ons inmiddels ook gezien. Ze kwamen waggelend en kwakend op ons af. Vincent schrok er van.

Ik tilde hem op. 'Ze hebben honger,' zei ik. 'Ze komen kijken of we brood bij ons hebben.'

De eenden hadden al gauw in de gaten dat er bij ons niets te halen viel. Een voor een gleden ze terug het water in.

Ik zette Vincent weer op de grond. 'Kijk,' wees ik, 'die gekleurde . . . dat zijn de mannetjes. En die bruine, dat zijn de vrouwtjes.' Ik bedacht dat hij misschien te jong was om dat te snappen. 'Die bruine . . . zijn de mama-eenden. Die gekleurde zijn de papa-eenden.'

Zie je wel, dat begreep hij. Ik was er trots op dat het me was gelukt hem iets uit te leggen.

We bleven een poosje kijken maar al gauw begon het Vincent te vervelen. Met zijn tak roerde hij tussen verdorde bladeren en vond een denneappel.

'Zullen we weer naar huis gaan?' vroeg ik. 'Dan gaan we nog even met de autootjes spelen.'

Gewillig liep hij met me mee, de tak achter zich aan slepend. We waren net het park uit toen we een brommer hoorden. Dat wil zeggen: Vincent hoorde hem het eerst.

'Brommer,' zei hij en keek in de richting waar het geluid vandaan kwam.

Ik keek ook en zag onmiddellijk Lucas en Evert.

Ik kan me niet meer zo goed herinneren hoe de dingen toen precies gebeurden. Ik geloof dat ik eerst weg wilde lopen, terug het park in. Maar op de een of andere manier was ik op dat moment niet bang, alleen maar woedend. Ik begon te zwaaien met mijn armen. Waarschijnlijk hadden ze me anders toch wel gezien, maar nu kwamen ze in ieder geval in volle vaart op me af. Ik sprong achteruit en trok Vincent met me mee.

Piepend en slippend kwam de brommer tot stilstand. Lucas en Evert rukten tegelijkertijd hun helm af.

'Daar heb je hem ook, dat achterlijke schijthuis!' Lucas keek me aan met een gezicht vol afschuw. Zijn ogen waren samengeknepen en zijn mondhoeken naar beneden getrokken.

'Wat,' begon ik, maar ik kreeg de kans niet om mijn zin af te maken.

'Hou je bek, etter. Onderkruipsel. Een etterig klein onderkruipsel, dat ben je.'

Weer opende ik mijn mond om wat te zeggen. Lucas gaf me geen enkele kans. 'Je hebt nog minder spierkracht dan een mier,' zei hij. Zijn stem klonk snijdend. 'Je bent nog te slap om zo'n oud wijf haar tas af te pakken.'

'Helemaal niet. Daar kon ik niks aan doen,' ik schreeuwde het uit. 'En dat jullie mijn oma van de trap hebben geduwd, vergeef ik jullie nooit. Noem mij maar achterlijk. Jullie zijn gek. Gevaarlijke gekken. Ze had dood kunnen vallen. Dood. Horen jullie het.'

'Waar heeft hij het over?' vroeg Evert. Hij was achterop de brommer blijven zitten en leunde over Lucas' schouder.

'Hou je maar van de domme,' schreeuwde ik. 'Als je maar niet denkt dat ík gek ben.'

Lucas plukte aan zijn kin. Heel even zag ik zijn blik wegzweven, alsof hij nadacht. Toen glimlachte hij. 'Zo,' zei hij langzaam. 'En jij beweert dat wij jouw oma van de trap hebben geduwd.'

Even was ik in verwarring. Was het soms gewoon een ongeluk, precies zoals Roos had gezegd? Maar Lucas glimlachte alweer naar me, een gemeen koud glimlachje. 'Zorg jij maar dat er niet nog eens zoiets gebeurt met je oma. Want het is precies zoals je zegt: ze had wel dood kunnen zijn.'

'Ik wil naar mama,' zei Vincent plotseling. Ik draaide me naar hem toe. Hij zag er bang, verschrikt en erg klein uit.

'Ook dat nog,' riep Lucas. 'Kippebotje is kindermeisje geworden, wandelt met zijn kleine broertje.'

Ik nam Vincent bij de hand. 'Ik wil naar mama,' zei hij weer en ik hoorde aan zijn stem dat het niet lang meer zou duren of hij zou in huilen uitbarsten.

Lucas reed zijn brommer een stukje vooruit. 'Moet je horen,' zei hij en knikte met zijn hoofd. 'Vanavond om zeven uur ben jij weer bij de fontein. Dan krijg je een nieuwe·kans.'

'Stik maar,' zei ik. 'Ik doe niet meer mee.'

'Vuile hufter.' Lucas spuugde de woorden haast uit. 'Daar zul je spijt van krijgen.' Hij startte de brommer, zette zijn helm op en keek achterom. Evert had zijn helm ook opgezet. Lucas reed de brommer nog een klein stukje verder naar voren en toen gebeurde het: hij greep Vincent, sleurde hem voorop de brommer en gaf vol gas.

Ik . . . ik stond daar en keek ze na. Ik hoorde Vincent gillen. Ik kon het bijna niet geloven maar ze hadden hem echt meegenomen. 'Vincent!' schreeuwde ik. 'Vincent!' Ik begon te rennen, de brommer achterna. Maar het was zinloos. Ik zag hem tussen het verkeer verdwijnen.

Ik stond stil, midden op het trottoir en rilde over mijn hele lijf. Wat ging er met Vincent gebeuren? Ontvoerden ze hem? Wat moest ik doen?

Terwijl ik radeloos op het trottoir bleef staan, hoorde ik opnieuw het geluid van een brommer en het gegil van een klein kind. Daar waren ze weer.

Lucas stopte pal voor me en tilde Vincent van de brommer. Hij deed het tamelijk wild zodat het jongetje voorover viel en nog harder begon te brullen dan hij al deed. Ik trok hem naar me toe en klemde mijn handen om hem heen. Lucas keek even naar me. 'Dit was een lesje voor je,' zei hij. Hij draaide zijn stuur en zette zijn linkervoet op een trapper. 'En je hebt het gehoord: van-avond om zeven uur ben je weer bij de fontein.'

Ik kreeg Vincent niet stil. Ik dacht dat hij nog niet goed genoeg kon praten om zijn moeder te vertellen wat er precies was gebeurd en dat kwam me goed uit. Ik nam hem mee naar huis en zei dat hij was gevallen. Terwijl hij werd getroost en geknuffeld, mopperde mam op mij omdat ik niet beter op hem had gepast.

Ik vluchtte naar mijn kamer, deed de deur op slot en huilde.

Ik had besloten die avond niet naar de fontein te gaan. Wat kon er gebeuren als ik niet ging. Roos was de stad uit, dus die konden ze niet meer te pakken nemen. Vincent? Ze dachten dat hij mijn broertje was. Ze konden dreigen hem wat aan te doen, maar Vincent was mijn broertje niet, maar een kind dat minstens twintig kilometer van ons vandaan woonde.

Toen mijn moeder riep om te eten, ging ik naar beneden. Meteen na het toetje ging ik terug naar mijn kamer. Ik las wat, deed mijn dagelijkse fluitoefeningen en probeer-de nergens meer aan te denken. Maar iedere keer op-nieuw keek ik op mijn horloge. Kwart voor zeven . . . dertien voor zeven . . . twaalf voor zeven. Hoe dichter de wijzer bij de zeven kwam, hoe benauwder ik het kreeg. Wat zouden ze doen als ze merkten dat ik niet kwam opdagen?

Gek was dat; toen het eenmaal zeven uur was geweest, zakte de spanning. Nu was het zover. Nu moesten ze door hebben dat ze voor niets stonden te wachten.

Tegen half acht bedacht ik dat ze me waarschijnlijk wel weer zouden bellen. Ik ging naar beneden. In de gang legde ik de hoorn naast de telefoon.

Ik voelde me wonderlijk tevreden. Ik moest zorgen dat ik ze te slim af was. Dan zouden ze me op den duur vanzelf met rust laten. Ik keek om het hoekje van de huiskamerdeur. Niemand te zien. Ik ging naar binnen. Door het raam in de achterkamer zag ik dat mam in de tuin de was afhaalde. Ik nam twee koekjes uit de trommel en at die achter elkaar op. Ik ging op zoek naar nog meer eetbaars. Maar als mam aan de lijn doet, hebben we meestal nauwelijks snoep in huis. Raar is dat. Tenslotte is zíj op dieet, niet ik. Het zou stukken leuker zijn om een moeder te hebben die zichzelf te mager vindt.

Ik pakte het pak hagelslag uit de keukenkast en schudde een bergje op mijn hand. Ik likte de chocoladekorrels op en spoelde toen mijn plakkerige bruine hand af onder de kraan.

Terwijl ik mijn hand afdroogde, ging de bel. Ik zag dat mam nog in de tuin stond en liep naar de gang. Ik trok de deur open. Duizelig werd ik. Prikken in mijn hoofd. Zwarte vlekken en sterren. Ik wilde de deur dichtgooien maar Lucas zette zijn voet ertussen.

'Ga weg,' zei ik.

'Mee!' zei Lucas. 'En waag het niet een kik te geven.'

Hij had een mes.

Ik was niet meer in staat een geluid uit te brengen. Ik trok de deur achter me dicht. Lucas sloeg een arm om mijn schouder en duwde me mee. Alsof we de beste vrienden waren, liepen we de straat uit. Op de hoek stond Evert ons op te wachten. Hij zei niets. Maar toen ik vlak bij hem was, spuugde hij me in mijn gezicht.

Ik heb die avond weer een vrouw beroofd. De avond daarna weer een. En de avond dáárna weer een.

Hoofdstuk Tien

Op een ochtend – ik weet niet meer wat voor dag het was – werd ik wakker. Mijn hele lijf deed pijn. Het was alsof ik had geslapen zonder te rusten, zonder mijn spieren te ontspannen. Ik zag de zon door de gordijnen schijnen. Ik hoorde de wekkerradio van mijn moeder en ik wist dat er een nieuwe dag begon.

Maar ik kon niet meer. Ik wilde slapen. Als ik sliep, wist ik van niets.

Ik was blijkbaar weer ingedommeld, want later werd ik wakker doordat mijn moeder het dekbed van me aftrok. 'Opstaan Alex. Je komt nog te laat op school.'

Ik bleef liggen, met een zwaar, zwaar lijf en mijn ogen gesloten. Ik hoorde mijn moeder weer praten maar wat ze tegen me zei, drong niet tot me door.

Later, ik weet niet of het veel later was of al kort daarna, werd ik wakker doordat iemand zich over mij heenboog en een hand op mijn voorhoofd legde. Ik zag een man die ik niet dadelijk herkende. Het was de huisarts. 'Zo, eindelijk wakker?' zei hij. 'Doe je hemd eens omhoog.'

Hij luisterde naar mijn hart en mijn longen. Hij bekeek mijn tong en mat mijn bloeddruk.

Mama stond handenwringend naast hem.

De dokter keek me onderzoekend aan. Hij duwde met twee vingers mijn oogleden naar beneden. 'Heb je ergens pijn?' vroeg hij.

Ik haalde mijn schouders op.

'Ga je laat naar bed?'

Ik gaf geen antwoord. Ik wist wel dat hij er was, maar het was net of ik hem niet zag.

Ik kan me niet eens herinneren dat hij de kamer uit is gegaan. Het leek alsof ik in een wolk lag. Alles was zacht en warm om me heen. Alles was wazig en ver, ver weg.

Van mam hoorde ik dat ik de hele dag heb geslapen. Toen ik eindelijk mijn ogen weer opendeed, zag ik haar zitten bij het raam. Ze las een boek, maar ze merkte direct dat ik wakker werd. Ze kwam naar me toe en lachte naar me. Alleen haar mond lachte. Haar ogen stonden bezorgd. 'Hoi,' zei ze met een stem alsof ze opgewekt was. 'Je zult wel honger hebben.'
Ik schudde mijn hoofd.
'Je moet toch wat eten. Ik zal wat voor je maken. Waar heb je trek in?'
Ik draaide mijn hoofd van haar af en keek naar de muur. Ik wilde terug naar die wolk.
Ik kneep mijn ogen dicht. Mam bleef even naast mijn bed staan, daarna hoorde ik haar weglopen.
Opnieuw ben ik in slaap gevallen. En toen ik daarna weer wakker werd, was het nacht. Ik luisterde eerst een poosje of ik geluiden hoorde in huis. Het was stil. Ik knipte het bedlampje aan en keek op mijn horloge. Het was vijf voor drie. Naast mijn bed stonden een glas melk en een bord met crackers. Ik kwam overeind, dronk eerst de melk op en begon daarna aan de crackers. Er zat chocopasta op, met borrelnootjes.

Na vierentwintig uur slaap was de wolk weg. En hoe ik ook mijn best deed; hij bleef weg.
Mama bracht me lekkere hapjes en vroeg een paar keer wat er aan de hand was. Ik haalde mijn schouders op

en probeerde zoveel mogelijk de blik in haar ogen te ontwijken. Met pap had ik het moeilijker: ik draaide een cassettebandje en de muziek stond zo hard dat ik mijn vader niet hoorde thuiskomen. Plotseling stond hij naast mijn bed. Hij trok de koptelefoon van mijn hoofd. 'Hallo,' zei hij en hij lachte omdat ik schrok. 'Schuif eens op.' Hij kwam op de rand van mijn bed zitten. 'Je ligt hier als een vorst. Wordt het nog geen tijd om je bed uit te komen? Je zult nu zo langzamerhand wel uitgeslapen zijn.'

Ik schudde mijn hoofd. 'Ik blijf liever liggen.'

Hij keek zwijgend mijn kamertje rond. Hij kwam hier eigenlijk nooit. Vroeger wel, toen hij me nog verhaaltjes vertelde voor het slapen gaan. Hij stond op en bekeek mijn skelettenverzameling. Met zijn handen in zijn zakken boog hij zich over de vogelskeletjes. 'Wat moet je toch met die rommel?'

Ik werd kwaad maar ik slikte mijn antwoord in.

Toen zag hij zijn verrekijker in de vensterbank. 'Wat doe je daar mee?'

'Sterren bekijken.'

'Sterren bek . . .' Pap vond het blijkbaar nogal grappig want hij lachte hardop. 'Dat meen je niet serieus Alex.'

'Waarom zou ik dat niet serieus menen?' Mijn stem schoot uit, fel.

'Nou, rustig maar,' suste pap. 'Je hoeft niet kwaad te worden. Maar je maakt mij niet wijs dat je sterren kunt bekijken met een verrekijker.'

'Ik heb nou eenmaal geen sterrekijker,' snauwde ik.

'Ik wist ook helemaal niet dat je daar belangstelling voor had,' zei pap. En aan zijn stem hoorde ik dat het mis ging.

Goed, dan moest hij maar kwaad worden. Ik werd zelf ook steeds bozer. Pap kwam weer op de rand van mijn bed zitten. 'Vertel nou eens,' zei hij. Hij probeerde kalm te blijven. 'Wat is er met je aan de hand? De dokter dacht dat je je ergens zorgen over maakte.'

Ik gaf geen antwoord. Ik kon er niet tegen dat hij me aankeek. Hij gaf me een por tegen mijn schouder. 'Nou, kom op joh. Tegen je vader kun je alles zeggen.'

Ja, dacht ik, zéggen wel. En dan?

Omdat ik nog steeds niet geantwoord had, probeerde pap het op een andere manier: 'Heb je problemen op school?'

Natuurlijk, volwassenen dachten het eerst weer aan school.

'Iets anders dan, dat je dwars zit? Dokter De Wit zegt dat je lichamelijk zo gezond bent als een vis.'

Ik haalde mijn schouders op. Van beneden steeg een geur op van sperziebonen en sudderlappen.

Pap streek door zijn haar en zuchtte. 'Goed jongen. Als je liever je mond houdt . . . prima. Maar je komt wel je bed uit, en morgen ga je weer naar school.'

'Nee,' zei ik gesmoord.

'Wat nee?' riep pap uit.

'Ik kom niet uit bed.'

'Je bent niet ziek. Je wilt niet zeggen wat er aan de hand is. Dan heb je ook geen enkel recht om op klaarlichte dag in bed te liggen.'

Mam kwam de trap op. 'Het eten is klaar,' riep ze. Op de drempel van mijn kamer bleef ze staan. 'Kom je beneden eten, Alex?'

'Natuurlijk komt hij beneden eten,' antwoordde pap.

'Leg dat kind toch niet aldoor in de watten.'

'Wat krijgen we nou?' riep mam.

Pap trok het dekbed van me af en greep me bij mijn arm. 'Fris je maar even op onder de douche, en dan kom je beneden aan tafel.'

Ik probeerde me los te rukken.

'Wat gebeurt er toch allemaal?' riep mama. 'Jaap? Wat mankeer je? Laat die jongen los!'

'Bemoei je er niet mee.' Pap sleurde me uit bed en trok mijn pyjama over mijn hoofd. 'Die jongen mankeert niets. Als hij problemen heeft, kan hij ze met ons bespreken en als hij denkt dat hij zijn zaakjes zelf kan opknappen dan moet hij dat doen. Maar hij gaat hier niet als een klein kind verstoppertje spelen.'

Verstoppertje spelen. Ik schrok van die woorden. Ik schrok er zo van dat ik niet meer tegenstribbelde en me in de richting van de douche liet duwen.

Ik kleedde me verder uit en draaide de kranen open. Het water stroomde over mijn hoofd. Ik dacht dat ik ziek was. Ik was niet ziek, ik wilde ziek zijn. En pap had dat haarfijn aangevoeld.

Ik ben de rest van de avond opgebleven. Sterker nog: ik ben zelfs buiten geweest.

De maaltijd verliep vrij stroef. Pap was nog steeds woedend en deed geen mond open. En mam zweeg ook. Waarschijnlijk omdat ze geen ruzie wilde. Ik zat maar wat te prikken op mijn bord. De geur van het eten maakte me misselijk. Ik gluurde naar mijn vader en moeder. Pap, die niet van slap en zwak hield. Mam, die geen problemen wilde.

Hoe kon ik ze ooit vertellen wat er aan de hand was?

Na het eten bleef ik in de kamer rondhangen. Ik keek wat televisie en bestudeerde in de t.v.-gids alle programma-aankondigingen voor de komende week.

Na het journaal van acht uur zei pap, en het klonk ineens opgewekt, alsof hij een oplossing had gevonden: 'Weet je wat Alex? Wij gaan samen een rondje joggen.'

Hij lachte om het gezicht dat ik trok. 'Vooruit, sportschoenen aan. Moet je eens opletten, dan voel je je straks als herboren.'

'Ik blijf liever . . .' begon ik.

'Hup, opschieten,' zei pap.

'Ach Jaap, je weet toch dat Alex niet zo van . . .' zei mam.

'Hou jij nou je mond eens,' schreeuwde pap. 'Jij maakt een zachtgekookt ei van hem. Een beetje sporten heeft nog nooit iemand kwaad gedaan. Is er wat op tegen dat een vader met zijn zoon een blokje omloopt? Nou? Vooruit Alex, kleed je om.'

Zelf nam hij de trap met drie treden tegelijk.

We liepen naar het sportpark. Pap heeft zo'n uitstekende conditie; terwijl ik allang op een bankje zat uit te hijgen, liep hij nog een paar extra rondjes, maakte een serie kniebuigingen en sprong over boomstammetjes.

Na afloop gingen we in de kantine samen wat drinken.

Pap knikte me toe van boven zijn glaasje Spa. 'Zoiets moeten we maar eens vaker samen doen,' zei hij, 'vind je niet?' Ik zweeg.

Toen we thuiskwamen zei pap nadrukkelijk tegen me dat ik de volgende dag weer naar school moest. Maar toen mam me 's morgens kwam wekken, hield ik mijn ogen dicht.

Ze schudde me heen en weer. 'Alex, kom eruit.'

Ik wist dat papa al weg was.

'Alex, kom nou!'

Ik kreunde. 'Ik ben ziek.' Ik opende mijn ogen op een kiertje. Ik zag aan mama's gezicht dat ik het kon winnen. 'Je hebt met papa afgesproken dat je vandaag weer naar school gaat,' zei ze.

'Ja maar ik ben ziek,' zei ik.

'Wat mankeer je dan? De dokter zegt dat er niets aan de hand is.'

'De dokter weet er niets van.'

'Alex! Je houdt me voor de gek. Vooruit, stel je niet aan.'

'Alles doet me pijn. Ik heb koorts.'

Ze voelde mijn voorhoofd. 'Je hebt geen koorts.'

'Ik heb wel koorts!'

Ik zag haar aarzelen. 'Goed. Ik haal de thermometer. Maar als je geen koorts hebt, kom je onmiddellijk je bed uit.'

Ze ging naar de badkamer om de thermometer te halen. Ik nam hem van haar aan. 'Ik doe het wel,' zei ik. Ik probeerde mijn stem schor te laten klinken, alsof ik een kou had opgelopen. 'Toe mam, ga maar naar beneden.'

Ik wachtte totdat ze de trap af was. Zachtjes kwam ik mijn bed uit en liep naar de wastafel. Ik draaide de warme kraan open en hield de thermometer eronder. Het kwik vloog omhoog. Snel draaide ik de kraan dicht. Ik las de temperatuur af: 39.⁵. Ik sloop terug naar mijn bed en kroop onder het dek. Ik was net op tijd, want ik hoorde mam de trap weer opkomen.

De thermometer stopte ik in mijn mond.

Zo lukte het me om een extra dag in mijn bed te blijven. Behalve zo nu en dan wat slapen, deed ik niets. Ver weg, in mijn achterhoofd, wist ik dat ik deze dag moest gebruiken om een oplossing te bedenken. Eind volgende maand begon de zomervakantie. Dan gingen we drie weken kamperen in Frankrijk. Dat betekende ook dat ik een paar weken van Evert en Lucas verlost zou zijn. 'n Paar weken . . . kon ik maar in Frankrijk blijven wonen!

Ik wilde dat de roze wolk weer kwam. Soms, als ik stil op mijn rug lag, mijn ogen strak richtte op een bepaald punt van de muur, en mijn gedachten afsloot voor al het andere, dan lukte het me om even weg te drijven.

Ik hoorde de telefoon rinkelen en verstijfde. Gespannen tot in mijn tenen wachtte ik af of mam me zou roepen, onder aan de trap. Ze deed het niet. Ik hoorde haar druk praten. Ik kon niet verstaan wat ze zei, maar het was duidelijk dat het in geen geval zo was dat ze Lucas of Evert aan de telefoon had.

Ik ontspande weer en zakte weg in een soort niemandsland. Ik schrok op toen mam binnenkwam met een beker bouillon en een schaaltje biscuitjes.

'Sliep je?' vroeg ze.

'Ik geloof van wel.'

'Oma belde net. Ik moest je de hartelijke groeten doen.'

'Roos?' Aan Roos had ik ook niet meer willen denken. Denken aan haar deed nog steeds pijn. Ik keek naar de muur. Waar was de wolk?

Mam maakte een plaatsje vrij op het tafeltje naast mijn bed en zette de bouillon en de biscuitjes erop.

'Oma komt zondag weer thuis. Ze wil graag dat je langs-
komt, maar ik heb gezegd dat je ziek bent.'
Ik ga niet naar Roos. Bijna had ik het gezegd. Als mam
zou weten dat ik ruzie had met Roos zou ze vast vermoe-
den dat mijn problemen daarmee te maken hadden.
Onverwachts voelde mam weer aan mijn voorhoofd.
'Maandag ga je weer naar school.' Ze zei het kordaat,
kordater dan ik van haar gewend ben.

Hoofdstuk Elf

Maandag . . . maandag leek nog zo veilig ver weg. Het was nu vrijdag. 's Middags kwam mam's vriendinnen-clubje. De deur van mijn kamer was dicht, maar af en toe hoorde ik een uitroep, die direct werd gevolgd door andere opgewonden stemmen. Soms werd er gelachen.

Ze konden beter allemaal naar de trimbaan gaan. Dat praten over slank worden deden ze volgens mij alleen maar voor de gezelligheid. Ik had een beetje hoofdpijn. Gek is dat: van al dat in bed liggen werd je eigenlijk alleen maar lustelozer. Wat dat aangaat had pap wel gelijk: een beetje sporten zou voor mij niet slecht zijn. Hoe zou het komen dat sommige mensen altijd in bewe-ging zijn, terwijl andere liever rustig een boek lezen? Mensen zijn allemaal verschillend. Als ze nou eens alle-maal hetzelfde zouden zijn . . . Hoe zou de wereld er dan uitzien? Ik probeerde het me voor te stellen. Er zou geen ruzie zijn want iedereen begreep elkaar. Iedereen dacht hetzelfde, wilde hetzelfde, deed hetzelfde. Dat leek me ideaal, zo'n wereld. Maar toen ik verder dacht, ontdekte ik dat die wereld misschien toch niet zo mooi was. Want niet iedereen kòn hetzelfde. Iedereen kon van lezen houden, maar niet iedereen kon op hetzelfde moment hetzelfde boek lezen. Stel dat iedereen van ko-ken hield en iedereen werd kok. Er moesten ook tim-merlieden zijn, en dokters en buschauffeurs.

Ik grinnikte. Het zou leuk zijn om hier met Roos over te fantaseren. Roos was goed in fantaseren. Ze zou vast iets prachtigs bedenken voor al die mensen die op het-zelfde moment hetzelfde deden. Stel dat iedereen op hetzelfde moment jarig was en taartjes uitdeelde. Dat zou een vreetpartij worden! Dan gaf iedereen elkaar ook cadeautjes. Dat zou dan weer verwarrend zijn. De cadeautjes werden misschien verwisseld en dan kwam er ruzie. Of juist niet. Want iedereen was blij met dezelfde cadeautjes. Sterker nog: iedereen had dezelfde cadeautjes gekocht. Ik begon het steeds grappiger te vinden om erover na te denken. Als iedereen tegelijkertijd ziek was, werd het lastig want dan kon er geen dokter komen. En als iedereen tegelijkertijd dood zou gaan . . . zou de mensheid ophouden te bestaan.

Zondag, overmorgen, zou Roos weer thuiskomen. Ik klemde mijn lippen op elkaar. Waarom zou ík naar háár toegaan? Zij kon toch ook naar mij komen? Wílde ik eigenlijk wel naar haar toe? Of was ik nog steeds boos op haar? Waarom had ze me ook niet vertrouwd? Een stemmetje, diep in me, zei dat Roos misschien gewoon de waarheid had gesproken. Waarom zou ze tegen me liegen?

Maandag was nog ver weg. Maar zondag was gelukkig ook nog ver weg.

Ik hoorde de bel van de voordeur maar schonk er nauwelijks aandacht aan. Dat was natuurlijk nog iemand van mams clubje. Ik draaide me juist op mijn zij, met mijn rug naar de deur, toen ik gestommel op de trap hoorde. 'Eerste deur links,' klonk mams stem van beneden.

Dat moest bezoek zijn voor mij. Nieuwsgierig draaide ik me terug met mijn gezicht naar de deur.

Evert kwam binnen.

Ik wist niet wat ik zag. Ik krabbelde overeind in bed en

op mijn ellebogen leunend, staarde ik hem aan.

'Wat doe jij hier?' vroeg ik uiteindelijk.

Hij bleef even staan, keek de kamer rond en sloot toen zachtjes de deur achter zich. 'Dat klinkt niet al te vriendelijk,' zei hij. Zijn haren hingen in pieken voor zijn ogen. Hij droeg een roze t-shirt waardoor hij er nog baby-achtiger uitzag dan gewoonlijk. Niet iemand om bang van te zijn. Als hij maar niet zo vreemd uit zijn ogen keek. Hij had iets onnozels over zich, iets doms. Hij leunde met zijn rug tegen de deur. 'Hoe gaat het met je, Kippebotje?' Ik gaf geen antwoord. Allerlei gedachten schoten door mijn hoofd. Was ik dan helemaal nergens meer veilig?

Hij snoof en veegde met de achterkant van zijn hand langs zijn neus. Plotseling zag hij het schaaltje met koekjes dat mam naast mijn bed had gezet. Hij trok het naar zich toe en at er vier tegelijk op. Toen hij het vijfde, de laatste, in zijn mond wilde proppen, bedacht hij zich ineens. 'Wil jij er ook een?' Hij hield me het koekje voor.

'Wat doe je hier? Wat wil je van me?'

'Ik kom op ziekenbezoek,' antwoordde Evert en stopte het koekje in zijn mond.

Ik dacht dat ik hem niet goed verstond.

Met een achteloos gebaar veegde Evert de kruimels van zijn lippen. 'Ik belde gisteravond op en toen zei je mammie dat je ziek was. Dus dacht ik: dan zoek ik je even op. Je bent tenslotte een goeie vriend van me. Tenminste . . . dat heb ik je moeder verteld.'

Hij was minder dom dan hij eruit zag. Hij was sluw. Hij was gevaarlijk. Ik was rechtop gaan zitten. Als het moest kon ik naar beneden rennen. Hij was nu weg bij de deur. En anders kon ik gillen.

'Wat mankeer je? Volgens mij mankeer je niks. Lig je gewoon met je luie reet schoolziek te wezen.'

'Ik ben wel ziek,' piepte ik. En mijn hart ging zo tekeer en ik had het zo heet en mijn maag deed zo'n pijn dat ik me inderdaad ziek voelde.

'Och gossie,' zei Evert, 'had ik dat maar geweten. Dan had ik een bosje bloemen voor je meegebracht. Nou . . . dan de volgende keer maar hè.'

'Hoezo de volgende keer? Wat wil je van me? Waarom laat je me niet met rust?' Zweet liep over mijn rug. 'Waarom moeten jullie míj steeds hebben. Ik heb jullie toch niets gedaan?'

Evert liep mijn kamer door. Hij bekeek mijn cassettebandjes, pakte de verrekijker uit de vensterbank en tuurde naar de huizen aan de overkant. Daarna liep hij naar mijn skelettenverzameling. Even hield ik mijn adem in, bang dat hij er iets aan kapot zou maken. Maar na een ongeïnteresseerde blik liep hij gewoon door.

Hij ging weer met zijn rug tegen de deur staan. 'Luister,' zei hij, en de toon waarop hij dat woord uitsprak maakte mij extra waakzaam. 'Wat ik tegen je moeder zei, is eigenlijk waar. Wij zijn toch vrienden? Wij hebben samen bij juffrouw Hillen in de klas gezeten. Weet je nog? Juffrouw Hillen, zùlke billen.' Hij lachte. 'Ik heb eens nagedacht. Dat Lucas jou die tasjes laat jatten dat is een rotstreek.'

Waar wilde hij heen?

'Eerlijk waar, dat vind ik een rotstreek. Ik zal tegen hem zeggen dat het afgelopen moet zijn. Dat jij mijn vriend bent. Hij vindt wel iemand anders die dat soort kar-

95

weitjes voor hem opknapt.' Hij stopte zijn handen in de zakken van zijn spijkerbroek en leunde met zijn hoofd achterover.

Ik wist niet wat me overkwam. Een paar tellen dacht ik dat hij het serieus meende. Dat hij spijt had gekregen of zo. Toen pas snapte ik dat hij me erin wou laten lopen. Ik probeerde zo rustig mogelijk te zijn maar intussen vroeg ik me af of hij ook een mes zou hebben, net zoals Lucas.

'Moet je nou eens naar me luisteren,' zei Evert.

Ik kroop uit bed. Ik vond het doodeng daar te liggen terwijl hij macho-achtig tegenover me stond.

'Ik zorg dat Lucas jou met rust laat. Hij heeft je lang genoeg gepest, de smeerlap. In ruil daarvoor krijg ik van jou, iedere week, vijfhonderd gulden. Of . . . vooruit . . . vierhonderd gulden. We zijn vrienden.'

Ik staarde hem aan. Pas toen ik voelde dat mijn mond openzakte zei ik: 'Je bent gek.'

'Hoezo gek?' Evert stond meteen kaarsrecht. 'Pas een beetje op je woorden! Je hebt geen verstand, jij. Vierhonderd gulden! Hoeveel tasjes denk je dat je daarvoor moet jatten? Een! Hooguit twee! Twee tasjes per week, dan ben je er al. En ik wed dat je dan nog geld overhoudt ook. Dat hou je zelf. Voor mijn part jat je tien tasjes, moet je allemaal zelf weten. Heb je er wel eens over nagedacht wat je allemaal kunt doen als je veel geld hebt?'

Ik moest aan een schildpad denken. Ik wilde een schildpad zijn. Mijn kop en mijn poten intrekken. Schop maar tegen me aan, ram maar tegen mijn schild, maar laat me zitten, veilig zitten.

Ik wilde . . . Allerlei gedachten kwamen in me op. Als ik nu de trap afrende, de kamer inging waar mam zat met haar keurige vriendinnen . . . Als ik middenin die kamer zou gaan staan, en zou gillen. Heel hard gillen, heel lang gillen.

Ik stond te janken. Ik wilde het niet, maar ik jankte toch.

'Zak!' zei Evert. Hij opende de deur en rende de trap af. Ik hoorde de voordeur achter hem dichtvallen.

Toen pap 's avonds thuiskwam, was het helemáál een ellende. Mam had verteld dat ik nog ziek was en daar trapte hij niet in. Hij stormde meteen naar boven. 'Waarom lig jij nou nog steeds in je bed?'

'Ik had vanmorgen hoge koorts.'

'Koorts!' Pap zei het minachtend. 'Gisteravond was je kiplekker!'

'Nou, en vanmorgen had ik koorts!'

Pap liep met grote passen naar de badkamer. Ik hoorde dat hij het medicijnkastje opentrok. Even later kwam hij terug. Hij rukte de thermometer uit het metalen kokertje. 'Mond open!'

Er was geen enkele mogelijkheid de thermometer onder de warme kraan te stoppen; pap bleef op mijn kamer. Hij liep heen en weer, drie passen heen, drie passen terug. Precies zoals je dat sommige dieren in de dierentuin ziet doen. Er werd geen woord meer gesproken totdat het tijd was om de temperatuur af te lezen.

Toen liep pap met de thermometer naar het raam.

'Precies!' zei hij. Hij sloeg de thermometer af. 'En nou tel ik tot drie en dan vlieg jij je bed uit.'

Ik bewoog niet.

'Heb je het gehoord?'

Ik bewoog nog steeds niet.

Pap kwam naar me toe.

'Jij weet ook helemaal niets van me!' schreeuwde ik plotseling.

'Is dat míjn schuld?' schreeuwde pap terug. 'Jij doet je mond niet open. Hoe moet ik dan weten wat er met je aan de hand is.'

'Jij bent altijd maar aan het werk of aan het sporten . . .'

Dingen die me normaal gesproken nauwelijks interesseerden kwamen nu naar boven. Als een muurtje waarachter ik me kon beschermen.

'Als je me nodig hebt dan ben ik er voor je,' schreeuwde pap. 'Maar ik hou niet van die kinderachtige geintjes. Je bent helemaal niet ziek. Je ligt in bed omdat je niet naar school wilt. Dat je je moeder voor de gek kunt houden . . . míj niet! Ben jij nou een kerel? Toen ik zo oud was als jij . . .'

Ik weet niet meer wat hij daarover allemaal te vertellen had. Ik weet alleen maar dat ik niet aan zijn verwachtingen voldeed.

Maar dat wist ik al zo lang.

Hoofdstuk Twaalf

Wat maakte het uit. Of ik nu thuis was of op straat . . . Ik was toch nergens meer veilig. Dus pakte ik de volgende dag mijn fiets. Ik wist niet waar ik heen wilde. Ik reed maar wat rond. Geslapen had ik weer nauwelijks maar dat was misschien niet zo vreemd na drie dagen in bed te hebben gelegen.

De lucht was blauw, vergeet-me-nieten blauw. Het zag er naar uit dat het prachtig weer zou worden.

Heel laat was pap de avond ervoor nog op de rand van mijn bed gaan zitten. 'Hoe denk je dat je rapport eruit ziet?' vroeg hij.

'Goed,'zei ik. Ik zou na de vakantie naar de brugklas gaan.

Pap had geknikt. 'Ik heb het er met mam over gehad: als je geen onvoldoendes hebt, krijg je van ons een sterrekijker.'

Mijn hart had een sprongetje gemaakt. 'Gò,' zei ik. Wat moest ik nog meer zeggen. Ik had geen onvoldoendes te verwachten, dus die sterrekijker kwam er wel.

Later, toen pap al lang weer naar beneden was, en ik me een hele tijd had verkneuterd aan het idee, bedacht ik ineens dat ik die kijker nooit zou krijgen als pap zou weten wat ik had gedaan.

Ik fietste maar door, sloeg links af, sloeg rechts af. Het leek wel alsof ik automatisch werd bestuurd, net zoals de bootjes waarmee ik wel eens had gespeeld.

Wat kon mij die sterrekijker ook schelen? Als ik straks in de gevangenis zat, wat moest ik dan met zo'n ding?

Toen gebeurde het: plotseling zag ik dat ik een straat inreed waar ik niet in mocht. Ik gooide mijn stuur om, draaide rond en schoof onderuit. De straatstenen schuurden mijn benen kapot. Ik kreeg mijn stuur in mijn maag. Mijn tanden klapten op mijn lip. Mijn fiets viel boven op me. Het ging heel vlug.

Ik bleef liggen. Meteen kwam er een man naar me toe. Het was een grote man, met wit golvend haar. Hij pakte mijn fiets op en zette hem tegen een paal. Daarna ging hij op zijn hurken naast me zitten. 'Kun je opstaan?' Hij had een vriendelijke stem.

Ik proefde bloed in mijn mond en spuugde het uit, naast me op straat.

'Tand door je lip,' zei de man. 'Probeer eens te staan. Je hebt toch niets gebroken?'

'M'n knie,' piepte ik. Ik kon gewoon staan maar mijn broek was kapot en er zaten rode vlekken op.

'Is het ernstig?' hoorde ik ineens.

Op het trottoir stond een vrouw. Heel stil, kaarsrecht en ze keek onze richting uit.

De man sloeg een arm om mijn schouders en duwde me naar haar toe. ''t Valt wel mee,' zei hij. En tegen mij: 'Waar woon je?'

Ik keek om me heen. Ik zag nu pas waar ik was. 'Aan de andere kant van de stad,' antwoordde ik.

De man keek op zijn horloge. 'Je moet verbonden worden. Hester, kan dat bij jou?'

De vrouw knikte.

'Kom mee,' zei de man. 'Zet je fiets even op slot.'

Het voorwiel stond scheef maar verder had hij de val goed doorstaan. Ik pakte mijn fietssleuteltje.

In mijn knieën brandde en klopte het. Ik spuugde weer bloed op de grond. Mijn lip was warm en zout.

We hoefden gelukkig niet ver te lopen. We stonden stil voor een huis met een klein wit trapje. De vrouw – Hester – had al die tijd vlak naast de man gelopen maar nu ging ze als eerste het trapje op en stak de sleutel in het slot van de deur. Ze draaide haar hoofd in mijn richting en glimlachte. Het was net of ze langs me heen keek. 'Kom binnen,' zei ze. We kwamen in een halletje. In een hoekje bij de kapstok stond een witte stok met rode strepen. Er ging een schokje door me heen.

De vrouw ging ons voor, de kamer in. Ze liep zonder ergens tegen aan te stoten, maar ze hield haar handen voortdurend een stukje voor zich uit. Alsof ze wilde voorkomen dat ze ergens tegenop liep. Ontdaan keek ik naar de man. Die wachtte totdat Hester de kamer uit was. Hij moet hebben gezien dat ik verband had gelegd tussen de vrouw en de stok.

Hij haalde met een berustend gebaar zijn schouders op. 'Tja . . . ze is blind,' zei hij zacht. Hij trok zijn regenjas uit, hing die over een stoel en zette zijn aktentas ernaast. 'Kom op joh,' zei hij toen luider, 'trek die broek uit, dan kan ik je knieën bekijken. Of nee, laat me eerst je mond zien.'

Ik liet hem maar begaan. Hij gaf me een koude natte doek voor mijn lip en waste mijn knieën schoon. Hij had iets krachtigs over zich. Ik bedoel niet dat hij sterk was en gespierd. Maar hij had iets waardoor je deed wat hij zei, alsof tegenspreken onmogelijk was. En tegelijkertijd was hij erg aardig.

Hester was de kamer weer ingekomen. Ze bracht een verbanddoos mee, zette hem op tafel en maakte hem open.

'Gaat het een beetje?' vroeg ze. Ze lachte weer. Haar ogen waren heel lichtgrijs, ik had nog nooit zulke ogen gezien. Ik dacht trouwens dat blinden altijd een donkere bril droegen. Ik vind het stom om te zeggen, maar eigenlijk vond ik haar eerst een beetje eng. Ik durfde niet goed naar haar te kijken, maar toch deed ik het iedere keer weer. Ze wás ook niet eng. Ze zag er juist heel mooi uit. Vooral als ze lachte. Ze lachte op een lieve manier.

Ze was denk ik ongeveer net zo oud als Roos. Maar ze zag er wel heel anders uit. Roos draagt dikwijls een lange broek en een zelfgebreide trui. Maar Hester was veel meer een mevrouw. Ze droeg een bloes met . . . ik weet niet hoe dat heet . . . frutselrandjes. En ze had kettingen om en armbanden die tinkelden als ze zich bewoog.

'Wat heb je nodig?' vroeg ze. 'Jodium, pleisters, schaar?' Ze haalde alles uit de doos.

'Daar redden we het wel mee,' zei de man. 'Misschien nog een slokje water voor de schrik.'

'Die jongen lust vast wel iets anders,' zei Hester. 'Hoe heet je?'

'Alex.'

'Alex . . . een mooie naam. Wil je een glas sinas?'

Ik knikte, maar bedacht meteen dat ze dat niet kon zien. Vuurrood stamelde ik dat ik dat wel lustte.

Ik keek naar haar toen ze naar de keuken liep. Ze liet de deur openstaan zodat ik precies kon zien wat ze deed.

De man had zijn jas weer aangetrokken en zijn tas gepakt. Hij gaf me een hand, een grote warme hand. 'Het beste met je. Ik moet weg. Ik heb een afspraak. Je kunt wel weer fietsen, niet?'

Mijn benen waren nog pijnlijk maar ik kon me niet voorstellen dat dat problemen zou geven bij het fietsen.

'Het lukt wel weer,' zei ik. 'Dank u wel voor het verbinden.'

Hij wuifde naar me en liep naar de openstaande keukendeur. 'Ik ga alvast!' riep hij om het hoekje. 'Goed?'

'Prima,' antwoordde Hester. Ze stak een hand op. 'Ik ga ook zo.'

Ik kon er niets aan doen. Ik moest steeds naar haar kijken zoals ze daar in de keuken bezig was. Hoe kon zij nou wat inschenken als ze niets zag. Ik durfde niet te vragen of ik het misschien zelf moest doen.

Ze had een glas op het aanrecht neergezet. Ze trok de

koelkast open. Haar hand tastte de flessen af en pakte de sinas. Ze schonk in, terwijl ze een duim in het glas hield. Ze schonk langzaam en direkt toen de sinas haar duim raakte, stopte ze. Een trucje, maar toch vond ik het knap. Wat beschaamd omdat ik zo nieuwsgierig was, draaide ik mijn hoofd om.

Met het glas in haar hand kwam Hester de kamer weer in. 'Waar zit je? Nog steeds op dezelfde plaats? Kom op de bank zitten, in de zon.' De bank stond voor het raam. De zon viel in een brede baan naar binnen en kriebelde warm op mijn huid. Hester kwam tegenover me zitten.

'Hoe oud ben je?'

'Twaalf.'

Daar was die lach weer. Ik moest naar haar kijken, of ik wilde of niet.

'Twaalf. Dan had ik niet slecht geschat! Ben je groot of klein? Ik kan je niet zien, maar dat had je misschien al gemerkt.'

Ik dacht na. 'Ik weet het niet,' zei ik. 'Gewoon. Sommige jongens van mijn leeftijd zijn groter. Andere kleiner.'

Hester knikte. 'En je bent blond. Je hebt blauwe ogen.'

Ik voelde me verlegen. 'Hoe weet u dat?'

'Weer een gokje.' Haar armbanden rinkelden. 'Soms denk ik dat ik het aanvoel. Soms denk ik dat ik het aan iemands stem hoor. Je hebt een lichte stem. Blond haar past daarbij.'

Ik pakte mijn glas en dronk het in een teug leeg. Ik zou haar van alles willen vragen. Of ze altijd al blind was geweest en of ze het erg vond en zo. Maar dat durfde ik niet.

'Hoe kwam dat nou, dat je viel met je fiets?' De zon scheen op haar grijze haren.

Ik legde mijn handen op de bank en ging een beetje gemakkelijker zitten. Hoe was het gekomen? 'Ik zat te suffen,' antwoordde ik. In gedachten zag ik mezelf weer fietsen, straat in, straat uit. Meteen voelde ik ook de onrust en benauwdheid die me al die tijd had achtervolgd.

Hester zei een poosje niets. Ze hield haar hoofd een beetje schuin. Verwachtte ze dat ik nog meer zou vertellen?

Ik keek de kamer rond. Toen pas zag ik de kast die aan de andere kant van de kamer stond. Het was een soort vitrine. Ik kon niet precies zien wat er in lag, maar ik herkende in ieder geval schedels van dieren.

'Heb je je glas leeg?'

Ik knikte. 'Ja,' zei ik toen.

Hester voelde met een vinger aan het horloge aan haar pols. 'Alex, ik moet weg. Vind je het erg?'

Ik stond op. Mijn nieuwsgierigheid won het: 'Spaart u dierenschedels?' Ze draaide haar hoofd in de richting van de kast. 'Sparen? Nee. Ik spaar wel schelpen. De schedels en skeletjes zijn nog van mijn man geweest. Die was vroeger dierenarts. Ze hebben jaren in zijn praktijkruimte gestaan. Ik ben er erg aan gehecht.' Plotseling lachte ze hardop. 'Wat denk je? Wat een mal oud mens met haar kast vol botten.'

'Helemaal niet!' Ik stotterde bijna, zoveel haast had ik haar te vertellen dat ik ook skeletten verzamelde.

'Je meent het!' zei ze. Ze sloeg haar handen in elkaar. 'Weet je wat je doet? Je komt nog eens terug om alles

op je gemak te bekijken. Spaar je soms ook schelpen?'
Ik schudde mijn hoofd. Hoe vaak schudt een mens zijn hoofd in plaats van gewoon 'nee' te zeggen?
'Nee, ik spaar geen schelpen.' Mijn blik gleed weer door de vitrine. 'Maar ik wil ze heel graag bekijken.'
'Dat is dan afgesproken!' Hester had intussen haar jas gepakt. 'Ik moet nu echt weg,' zei ze.
Ik liep met haar mee naar buiten. Hester hield haar gezicht opgeheven terwijl ze op het witte trapje stond. 'Het is heerlijk weer,' zei ze. 'Ik kan mijn jas wel thuislaten.' Ze liep terug naar binnen om haar jas aan de kapstok te hangen.
Ik keek naar de lucht die strak blauw was. Ik deed mijn ogen dicht en voelde de zon en een heel zacht briesje. Hester deed de deur op slot. Samen liepen we het trapje af. 'Nou, hier scheiden onze wegen,' zei ze. 'Het beste met je been. Doet het nog pijn?'
'Het valt wel mee,' zei ik.
Ze stak een hand uit. 'Dag Alex.'
Ik zwengelde haar hand heen en weer. 'Dag eh . . . mevrouw.' Ik kon toch maar moeilijk 'Hester' zeggen!
Toen ze weer lachte, kneep ze haar ogen tot spleetjes.
Ik keek haar na toen ze de straat uitliep. Ze had haar stok bij zich; hij tikte voor haar uit op de tegels. Ik zag dat mensen voor haar opzij gingen. Soms keek iemand even om.
Ik voelde me vreemd opgewonden.

Hoofdstuk Dertien

Nu ik Hester had ontmoet, voelde ik me een beetje ontspannen. Een béétje zeg ik, want Evert en Lucas bleven toch voortdurend in mijn hoofd rondspoken. Zodra ik een brommer hoorde, verstarde ik. Als de telefoon ging, of ik hoorde de deurbel, dan hield ik mijn adem in en trok mijn schouders op, alsof ik me kon verstoppen.

Maar toch . . . doordat ik Hester had ontmoet, ging ik over andere dingen nadenken. Ik was zo vreselijk benieuwd naar die skeletten. Ik had nog nooit eerder iemand ontmoet die daarin – net als ik – geïnteresseerd was. Hoe zou haar man aan die skeletten zijn gekomen? Ze waren misschien van dieren die hij had behandeld. Die te ziek waren om te genezen.

Ik vroeg me af wanneer ik haar weer kon opzoeken. Ik kon toch moeilijk de volgende dag al gaan. Misschien over een week, als het opnieuw zaterdag was. Wie weet kon ik ook wat van mijn eigen verzameling meenemen. Mijn grote trots, het kippeskelet? Zou ze het leuk vinden om dat te zien?

Zien. Het woord bleef rondzweven. Ze zou het moeten betasten. Ik kon me plotseling ook voorstellen waarom ze schelpen spaarde. Ze kon ze niet zien maar ze kon natuurlijk heel goed voelen hoe verschillend van vorm ze waren. Ze was zo ontzettend aardig geweest. Misschien had het indruk op me gemaakt dat ik voor het eerst iemand had ontmoet die blind was. Maar het feit dat ze zo aardig was, dat was toch het allerbelangrijkste.

Op zondagochtend slapen pap en mam altijd uit. Ik blijf dan zelf ook meestal vrij lang in bed. Niet om te slapen maar om een beetje na te denken of te fantaseren. Of om te lezen. Want mijn bed is de fijnste plaats om met een boek weg te kruipen.

Die zondag had ik een ander plan. Om half negen was ik al beneden. Pap en mam hadden de avond ervoor bezoek gehad. De kamer stonk naar sigaretterook. Ik liep naar de keuken en zette de deur wijd open. Frisse lucht stroomde naar binnen.

Op het aanrecht stonden kleverige glazen en een asbak vol peuken met roze lippenstift. In de houten chips-schaal lagen drie wokkels en een pipe de Paris. (Waarom hadden ze die niet opgegeten?) Tussen de chips lagen kroonkurken en houten coctailprikkers.

Ik schoof alles zoveel mogelijk aan de kant, pakte de broodplank en haalde boter en kaas uit de koelkast. In de broodtrommel lag een zak met zondagse witte bol-letjes. Ik at wat, dronk een beker melk en maakte een paar broodjes klaar om mee te nemen. Op een briefje dat ik tegen de chipsschaal aanzette, schreef ik dat ik naar het strand was.

Want dat was mijn plan. Een kilometer of tien vanaf mijn huis ligt de zee. Ik kwam er wel eens in het voorjaar of in het najaar. Maar eigenlijk nooit in de zomer. Ik hield niet van die volle stranden waar iedere vierkante meter in beslag werd genomen door mensen glimmend van de zonnebrandcrème. Het was net een bruinfabriek: insmeren en omdraaien.

Ik ging er nu ook niet heen om te zonnen. Ik wilde schelpen gaan zoeken. Het was nog vroeg, het strand zou nog leeg zijn. Het leek me leuk om langs de vloedlijn te lopen. Misschien vond ik iets dat de moeite waard was. Ik pakte mijn fiets, pompte de banden nog eens extra op en klemde mijn zakje brood tussen de snelbinders. Het was heerlijk stil op straat. Bijna overal zag ik gesloten gordijnen. Ik zwaaide naar een klein kind dat in zijn pyjama voor het raam stond. Een gevlekte kat stak heel rustig de straat over. Bij de patatzaak was een zwerm mussen neergestreken. De vogels pikten – druk kibbelend – in bleke koude frieten die op straat lagen. Toen ik langs fietste, vlogen ze kwetterend in een boom. Dit wilde ik vaker doen op zondagmorgen. Toch duurde de illusie dat ik de enige was op straat, maar kort. Ik kwam joggers tegen in korte broekjes. Die deden dit vast ook iedere week. Misschien wel iedere dag. Ik moest weer aan die avond denken dat ik met pap ging lopen. Gelukkig had hij me na die ene keer niet meer meegevraagd.

En ik zag ook mensen naar buiten komen om hun hond uit te laten. Ik heb jaren om een hond gezeurd maar mam zei altijd heel beslist dat ze er geen wilde. 'Je moet ze een paar keer per dag uitlaten. Niet alleen als de zon schijnt, maar ook als het regent of sneeuwt.'

'Dat kan ík doen,' zei ik dan. Hoewel ik wist wat het antwoord zou zijn, want ook dat was altijd hetzelfde: 'O ja? En wie doet het 's avonds laat?'

Ik had geen haast. In een kalm gangetje liet ik mijn eigen wijk achter me. Ver voor me zag ik iemand lopen met een grote hond. Het dier had een enorme vacht, het leek wel een schaap. Ik had nog nooit zo'n hond gezien. Ik vroeg me af wat voor ras het was en bleef maar kijken.

Pas toen ik heel dichtbij kwam, keek ik naar zijn baas.
Die keek op datzelfde moment op naar mij.
Het was Lucas.
Eén tel deed ik niets. Zelfs mijn adem stokte. Toen begon
ik zo hard te trappen als ik kon. Harder, harder, harder!
'Hé!' riep Lucas.
Ik kon maar één ding denken: dadelijk stuurt hij die
hond achter me aan.
Voor me lag de weg naar zee. Als ik doorreed, raakte
ik de veilige beschutting van de huizen kwijt. Maar waar
moest ik anders heen. Ik had geen seconde tijd om na
te denken.
Ik fietste maar, de wind blies mijn haar recht overeind.
De eerste duizend meter durfde ik absoluut niet om te
kijken, bang om vaart te verliezen. Toen naderde ik een
verkeerslicht. Geen kip op straat en het licht stond op
rood. Amper vaart minderend keek ik over mijn schouder. Ik kon eerst niet geloven wat ik zag en bleef keihard
doorfietsen. Toen keek ik nog eens.
Geen hond te zien.

Ik ben in het gras langs de weg gaan zitten. De dag
ervoor had ik iets roekeloos over me gehad: of ik nu
binnen ben of buiten, ze weten me toch wel te vinden.
Dus waarom zou ik binnen blijven.
Dat roekeloze was allang over; alles bij elkaar leek het
me thuis toch het meest veilig. Maar wie had kunnen
bedenken dat Lucas op zondagmorgen nog vóór nege-
nen op straat zou lopen?
Ik tuurde de weg af. Dat hij die hond niet achter me
aan had gestuurd, vond ik een wonder.

Ik merkte dat ik trilde. Wat moest ik nu? Gewoon verder fietsen en naar het strand gaan, zoals ik van plan was geweest? Erg veel zin had ik niet meer.

Langs de weg liep een sloot. Aan de overkant groeide munt. Vorig jaar rond deze tijd had ik samen met Roos een grote bos geplukt. Roos had de munt gedroogd en later hadden we er thee van getrokken. Het smaakte lekker, een beetje geheimzinnig. 'Thee uit de sloot' had ik het genoemd, en we hadden er samen om gelachen. Vandaag kwam Roos weer thuis.

Ik keek op mijn horloge. Het was tien over negen.

Er kwam een auto voorbij met twee racefietsen op het dak. Toen hoorde ik het geluid van een brommer. Direct zag ik een donker jack en een witte helm.

Ik krabbelde overeind. Ik pakte mijn fiets maar nog voor ik er op kon springen was Lucas met zijn brommer naast me. Hij greep mijn stuur. 'Ho eens maat. Zeg jij geen goeiendag meer als je me ziet? Nou?'

Ik probeerde mijn fiets los te rukken maar hij schopte me tegen mijn hand. Hij raakte me behoorlijk en de tranen sprongen me in mijn ogen.

'Hoe zit het? Zeg eens netjes dag tegen me!'

Ik keek om me heen. De sloot was te breed om er over te springen.

'Ik heb je lang niet meer gezien,' zei Lucas. 'Waar heb je uitgehangen? Nou, zeg op. Waar ben je geweest?'

'Ik was ziek.' Ik zei het veel te zacht. Hij liet het me herhalen. 'Ziek! Ach help, het mannetje had zeker kou gevat? En denk je dan dat je in je nest kunt gaan liggen? Ik heb geld nodig, hoor je dat! Dus pak jij je fiets en rij maar eens mooi met mij mee.'

Ik had nooit serieus over het voorstel van Evert nagedacht maar toch zei ik: 'Evert zou toch met je praten?'
Eerst leek het dat hij me niet hoorde. Luider zei ik: 'Heeft Evert dan niet met je gepraat? Je zou me toch met rust laten!'
Lucas' onderlip zakte naar beneden. Hij kneep zijn wenkbrauwen naar elkaar. 'Wat sta je nou allemaal te zeiken. Wat kraam je voor onzin uit.'
'Evert zei dat ik hem voortaan iedere week vierhonderd gulden moest geven. Dat jullie me dan met rust zouden laten!'
'Je liegt het!' snauwde Lucas.
'Echt niet!' schreeuwde ik. 'Eerlijk niet!' Ik zag hoe zijn gezicht vertrokken was. Ik had het gevoel dat een hand mijn keel dichtkneep. Lucas smeet mijn fiets op de grond. Ik deed een stap achteruit. 'Vuile hufter!' beet hij me toe. 'Denk niet dat je van me af bent!' Hij gaf gas, reed me eerst een stuk voorbij, keerde, ging rakelings langs me heen en reed toen over mijn voorwiel. Hij schoof zelf even onderuit maar wist nog net zijn evenwicht te bewaren. Hij scheurde weg.

Hoofdstuk Veertien

Ik ging naar Roos.
Ik weet niet hoe lang een mens het volhoudt om onder
grote spanning te leven, ík kon het niet meer. Ik wilde
alles aan Roos vertellen en dan moest zij maar bedenken
wat er moest gebeuren.
Mijn wiel was behoorlijk verbogen; ik kon er niet mee
rijden. Ik had geen zin om mijn fiets dat hele eind mee
te slepen, dus zette ik hem op slot.
Er was geen fietspad. Het was hier vandaan zeker drie
kwartier lopen naar Roos, maar het kon me niets schelen.
Het werd steeds drukker op de weg. Elke auto die voorbij kwam, liet mijn haren opwaaien en mijn shirt opbol-
len. Bijna allemaal waren ze beladen met surfplanken
of rubberboten.
Om rustig schelpen te zoeken moet je blijkbaar nog
vroeger opstaan. Af en toe kwam een brommer me tegemoet. Iedere keer ging er een schokje door me heen,
hoewel ik helemaal niet verwachtte dat Lucas nog terug
zou komen.
Het was even over tienen toen ik de straat van Roos in
liep. Je zou misschien denken dat ik bang was en er
vreselijk tegenop zag om Roos alles te vertellen. Maar
ik was juist opgelucht. Nu zou alles voorbij zijn. Er
zouden misschien andere vreselijke dingen voor in de
plaats komen, maar dit, dít wat nu al weken aan de gang
was, zou eindelijk voorbij zijn.

Roos was niet thuis. Daar had ik op voorbereid moeten

zijn. Maar dat was ik niet. Met afgezakte schouders en trage passen liep ik om haar huis. Ik keek door elk raam. Daarachter was alles onbeweeglijk. Ik ging in de achtertuin op de bank zitten. Had mam een tijdstip genoemd waarop Roos thuis zou komen? Ingespannen dacht ik na. Ik kon het mij niet herinneren.

Waarom was ze er nou niet! Ik sprong van de bank en liep op en neer door de tuin. Bij iedere stap werd ik bozer. Ze had er moeten zijn! Ze had moeten weten, voor mijn part moeten voélen dat ik haar nodig had!

Ik trapte tegen de vuilnisbak. Ik trapte tegen de bank. Ik bonkte met mijn vuisten op de achterdeur.

Waarom was ze er niet!

Ik heb gewacht tot half twaalf. Toen had ik echt het gevoel dat ik gek zou worden als het nog langer duurde. Bovendien had ik al twee keer gemerkt dat de buurvrouw links van Roos, me vanuit een bovenraampje begluurde. Steeds zag ik het gordijn bewegen en daarachter verscheen vaag de omtrek van een hoofd. Op het laatst begon ik er op te létten. Toen ik het hoofd voor de derde keer zag, stak ik mijn tong uit, schudde mijn vuist en wees op mijn voorhoofd. Het mens opende het raam en begon tegen me te schelden.

'Ach wijf, stik!' schreeuwde ik terug.

Stik Roos! Stik iedereen! Ik begon te rennen.

Waarom deed ik het?

Gewoon omdat ik haar vanaf het eerste ogenblik aardig had gevonden?

Omdat ik niemand anders kende met wie ik erover durfde praten?

Ik weet het niet. Ik ging naar haar toe zonder me af te vragen of ik er goed aan deed. Zonder me af te vragen of ze me wel binnen zou laten, of ik wel gelegen zou komen. Ik had maar één gedachte: laat zíj wel thuis zijn. Ze moet er zijn!

En ze was er. Ze deed zelf open.

'Dag,' zei ik.

'Dag,' antwoordde ze. Er was iets vragends in haar stem. Meteen lachte ze. 'Laat me raden. En vergeef het me als ik het mis heb. Jij bent Alex, de jongen van gisteren.'

Ik kon geen woord uitbrengen, zo blij was ik. Blij omdat ze thuis was, maar vooral omdat ze zich mij herinnerde en zelfs na één woord mijn stem herkende.

'En? Heb ik het goed?' vroeg ze.

'Ja. Ja!' antwoordde ik haastig. 'Ik . . .'

Ze stak me haar hand toe. 'Kom dan binnen Alex.'

Ze trok me over de drempel.

Toen ik in de kamer stond, klapte ik dicht en vond ik het ineens belachelijk dat ik naar Hester was gegaan. Hoe lang kende ik haar? Een half uur misschien. Ik wist bijna niets van haar. Ze wist bijna niets van mij. Ik kon iemand die vrijwel een vreemde voor me was, toch niet gaan vertellen dat ik mensen had beroofd.

'Ga zitten Alex. Of zal ik je eerst mijn verzameling laten zien?'

Drie uur geleden was ik nog van plan schelpen voor haar te gaan zoeken. Nu was ik al weer bijna vergeten dat Hester ze spaarde. 'Hè, wat?' zei ik. Ik besloot de schelpen en skeletten te bekijken en daarna gauw weer weg te gaan. Zonder Hester ook maar iets te vertellen.

Ik liep met haar naar de vitrine. Ze opende hem. Haar vingers gingen tastend over de schappen. De verzameling skeletten bestond voornamelijk uit kleine huisdieren.

'Dit is een hond,' zei Hester. 'Ik denk dat je het ras wel kunt raden.'

'Een tekkel,' antwoordde ik.

'Heel goed,' zei Hester. Ze legde een hand op mijn arm. Ik schrok een beetje omdat ik dacht dat ze zich vergiste. 'Ik vind het toch zo enig dat jij hier belangstelling voor hebt,' zei ze stralend. 'Dat hoor je toch maar hoogst zelden!'

We liepen langs de kast. Hester noemde namen, liet me allerlei schedels aftasten, precies zoals zij dat deed.

'Was dat uw man, gisteren?' vroeg ik.

'Lieve help nee,' zei ze. 'Dat was Luuk, mijn broer.'

Luuk.

Lucas.

Evert.

Ik voelde me duizelig worden.

'Ik moet naar huis,' zei ik. Ik zei het heel plompverloren, middenin een zin van Hester.

Ze zweeg verbaasd.

'Ik moet naar huis.' Ik schreeuwde bijna. Mijn stem sloeg over. Ik zette het schedeltje dat ik in mijn hand had, terug op het schap. 'Ik moet naar huis,' zei ik voor de derde keer. Nu was mijn stem weer min of meer normaal.

'Dat is goed,' zei Hester. 'Kom, dan laat ik je uit.'

Ze ging me voor, haar handen een klein beetje voor haar lichaam, zoals ik intussen van haar gewend was. Bij de deur stonden we stil. Ze opende hem niet. Ik keek op. Haar gezicht stond ernstig. Ik denk dat het de eerste keer was dat ze tegen me praatte zonder dat ze lachte. Ik kon zien dat ze haar woorden afwoog. 'Kan ik je soms ergens mee helpen, Alex?'

Ik voelde een schokje in de buurt van mijn hart.

'Ik wil me niet opdringen. Maar misschien wil je me iets vertellen.'

Ik bleef staan waar ik stond. Ik weet niet hoe lang. Ik leek wel een standbeeld en ik had het gevoel nooit meer te zullen bewegen. Toen legde Hester haar hand weer op mijn arm. Ze noemde mijn naam.

Ik keek op. 'Ja,' zei ik. 'Eigenlijk wil ik wel iets vertellen.'

Toen ik naast haar zat op de bank, was het helemaal niet meer moeilijk om te praten. Het was zo'n enorme opluchting om nu alles van me af te schudden. Want zo voelde het: alsof alles van me afviel.

Ik vertelde mijn verhaal heel chaotisch. Maar ik geloof dat Hester alles snapte, of in ieder geval alle stukjes zelf in elkaar paste. Zolang ik sprak, vroeg ze niets. Pap zou bij alles wat ik vertelde uitroepen 'Maar waarom heb je dan niet dit en waarom deed je niet dat?' Wat mam precies zou zeggen weet ik niet, maar ze zou in ieder geval niet zo rustig zijn als Hester.

Zelfs toen ik klaar was met mijn verhaal, zweeg Hester. Ze bleef zo lang zwijgen dat ik ongerust werd. Ik schoof een stukje van haar vandaan. 'Wat gaat u doen? De politie bellen zeker?' Ik wist zelf niet waarom ik zo vijandig deed ineens.

'De politie bellen?' herhaalde Hester. Ze had haar ketting tussen haar vingers genomen en draaide de kralen. 'Denk je dat dat het beste is?'

'Ik ben toch een dief!' zei ik hard. Wilde ik dat ze kwaad werd? Nee, ik wilde juist dat ze medelijden met me had, en zou zeggen dat het mijn schuld niet was.

Hester draaide haar gezicht naar me toe. Ik moest weer kijken naar die wonderlijke lichtgrijze ogen van haar. Ogen die mij niet konden zien. 'Luister naar me: we zijn toch vrienden. We hebben dezelfde hobby. Denk eens aan een skelet. Wat gebeurt er als je de ruggegraat eruit haalt?'

Ik gaf geen antwoord.

'Zonder ruggegraat valt het skelet uit elkaar. Alex, wij willen vrienden zijn. Wat gebeurt er met een vriendschap als twee mensen elkaar niet vertrouwen?'

Ik antwoordde nog steeds niet.

'Als jij niet wilt dat ik de politie waarschuw, doe ik dat niet, echt niet. Maar hoe lang denk je dat je op deze manier door kunt gaan? Evert en Lucas zullen je niet met rust laten. Nu heb je zeven of acht mensen beroofd. Volgende week zijn het er misschien al tien.'

Wat ze zei, wist ik allang. Dat had ik zelf al honderd keer overdacht. Maar nu Hester het uitsprak leek het allemaal nog veel erger. 'Wat moet ik dan doen?' riep ik. 'Ik durf het tegen niemand te zeggen.'

'Je hebt het mij ook verteld,' zei Hester rustig. 'En als je oma vanochtend thuis was geweest, had je het háár verteld. Je wilt zelf ook het liefst dat alles voorbij is. Zolang je zwijgt, komt er geen oplossing.'

'Ik zou willen dat het een droom was. Dat ik wakker werd en dat er niets aan de hand was,' zei ik.

Hester glimlachte en strekte een hand naar me uit. 'Ik denk dat veel mensen zoiets van tijd tot tijd willen.'
Een poosje zei geen van ons beiden iets. Ik luisterde naar de geluiden van buiten: auto's die voorbij kwamen, een kinderstem, ver weg de sirene van een ziekenauto. 'Mijn oma heeft niets aan de politie verteld,' zei ik. Ik wist heel goed dat ik naar de politie moest, maar op de een of andere manier wilde ik dat Hester zei dat het niet nodig was.
'Na die overval, bedoel je?' vroeg Hester. 'Niet direct, dat klopt.
Maar later wel.'
Ik begreep haar niet. Hoe kon Hester weten wat Roos had gedaan? Hester kneep in mijn hand. 'De wereld is klein, Alex. Heel toevallig ken ik jouw oma. Jouw oma is Roos van Korven. Ze woont aan de Dijkstraat.'
Ik voelde dat mijn gezicht knalrood werd.
'Wij kennen elkaar al jaren. Een paar weken geleden was ik bij haar en toen kwam er juist op dat moment een agent aan de deur in verband met een buurtonderzoek. Ken jij mevrouw de Beer?'
Ik dacht na. 'Nee.'
'Ze woont bij je oma in de straat.'
'Ik ken geen mensen bij mijn oma in de straat.'
'Nou, die mevrouw de Beer bleek te zijn overvallen door twee jongens. Het waren jongens die ze eerder die week bij jouw oma uit huis had zien komen. Ze kon zich die twee heel goed herinneren, omdat een van hen jonge padden had doodgetrapt.'
'O,' zei ik. Ik wist ineens wie mevrouw de Beer was. Ik zag haar voor me zoals ze in haar gele regenjack het

verkeer probeerde om te leiden. 'Is zíj ook overvallen?'

Hester knikte. 'Ja, zij is ook overvallen. Je oma begreep toen wel dat ze voor de politie niet langer mocht verzwijgen dat die twee háár ook hadden beroofd.'

Ik staarde voor me uit. 'En toen heeft ze alles verteld. En . . .' mijn stem haperde, 'ik moet ook alles vertellen.' Ik hoopte nog steeds dat ze 'nee' zou zeggen. Of, eigenlijk was ik nog net zover als tien minuten daarvoor: ik wilde wakker worden en ontdekken dat ik had gedroomd.

'Alex, jij weet hoe die jongens heten. Je weet zelfs waar ze ongeveer wonen. Ze hebben mensen overvallen. Ze hebben jou gebruikt om tasjes te stelen.'

'Precies,' schreeuwde ik. 'Ik heb ze gestolen. Ik heb het gedaan.' Hester trok me tegen zich aan en klopte me kalmerend op mijn rug. 'Luister eens, ik heb een voorstel: misschien is Roos nu thuis. Zal ik eens bellen? Als ze thuis is gaan we samen naar haar toe en vertellen we haar alles. En daarna gaan jullie samen naar het politiebureau. Eventueel ga ik ook nog mee.' Ze stootte me aan. 'Nou, hoe lijkt je dat? Samen met twee oude dames naar het bureau. Veiliger kan het toch niet. Roos zal je ook best willen helpen om het aan je vader en moeder te vertellen. En als zij het niet doet, dan help ík je.'

Ik zuchtte. Ik wist dat ik geen keus had. 'Goed,' zei ik zachtjes. Hester stond langzaam op en liep naar de telefoon. Ze nam de hoorn in haar hand en keerde haar hoofd in mijn richting. 'Het komt heus wel in orde,' zei ze. Ze draaide het nummer.

Ik hoorde de telefoon over gaan.

Even later nam Roos op.

Hester vertelde in grote lijnen wat er was gebeurd. Ik bleef roerloos op de bank zitten. Het was gek maar nu ik Hester zo hoorde praten, leek het net of het over iemand anders ging.

'Wat zei Roos?' vroeg ik, toen Hester de hoorn neerlegde.

'Ze komt,' antwoordde ze.

'Maar wat zéi ze?'

Hester dacht even na. Toen schudde ze haar hoofd. 'Ze zei niets. Alleen maar dat ze onmiddellijk kwam.'

Ik zuchtte. Ik liep naar het raam en keek de straat uit. Met de auto zou Roos er binnen tien minuten zijn.

Hoofdstuk Vijftien

Roos vond dat mijn vader en moeder als eersten moesten weten wat er was gebeurd. Ze ging met me mee naar pap en mam.

Toen Hester ons uitliet, omarmde ze me. 'Hou je taai,' zei ze. 'Echt het komt goed.' Ze gaf me een schelp, die ze 'wulk' noemde. 'Ik denk aan je,' zei ze.

Ik kon nauwelijks iets antwoorden, alleen maar een beetje stamelen. Ik stopte de wulk in mijn broekzak en de hele weg naar huis klemde ik mijn hand er omheen.

Ik had zo'n onwerkelijk gevoel. Alsof ik mezelf bekeek in een film. Hoe dichter we bij huis kwamen, hoe banger ik werd. Vanaf het moment dat we in de auto stapten, had Roos gezwegen. Ik had hardop willen zeggen dat ik bang was, maar ik deed het niet. De stilte was zo stil. Toen stonden we voor mijn huis. Roos parkeerde de auto keurig voor de deur.

Ik hoopte dat mijn vader en moeder niet thuis zouden zijn. Maar ze waren er wel. Ik zag pap in zijn korte broek achter het huis lopen. Ik keek naar Roos. Ze knikte me toe.

Pap had ons inmiddels gezien en kwam ons tegemoet. 'Hé hallo, wat gezellig. Zeg Alex, ik dacht dat jij naar het strand was?'

Ik gaf geen antwoord. Ik geloof dat hij dat niet eens verwachtte. Hij liep tenminste voor ons uit de tuin in en wees Roos de appelboom aan waaraan al kleine appels groeiden.

Roos liet hem rustig uitpraten. Ik voelde weer in mijn broekzak. 'Ik denk aan je,' had Hester gezegd.

Ook mam had ons nu gezien. 'Moeder!' riep ze uit. Ze had een zonnejurk aan en glom van de zonnebrandcrème. 'Ik had je vanavond willen opzoeken. Hoe gaat het met je enkel?'

'Prima,' antwoordde Roos. 'Ik loop weer als een kievit. Maar . . . daar kom ik niet voor.' Ze ging achter me staan en legde haar handen op mijn schouders. Ik durfde niet op te kijken, ik voelde alleen maar die handen.

'Wij komen jullie iets vertellen.' Ze kneep me zachtjes. 'Ik denk dat we dat het beste bínnen kunnen doen.'

'Wat is er gebeurd?' Mama's stem klonk schril. Ze kwam meteen naar me toe. 'Alex?'

Mijn vader zei niets. Ik weet ook niet wat hij deed, want ik bleef naar de grond kijken. Ik zag alleen maar terrastegels, schoenen, de drempel en tot slot de parketvloer.

We gingen op de bank zitten. Roos naast mij.

'Wat is er aan de hand?' zei mijn vader toen.

'Eh . . .' zei Roos en ik zag dat ze bruine schoenen aanhad, met veters erin. 'Vertel je het zelf, Alex?'

Maar ik wist niet meer hoe ik moest beginnen.

Toen deed Roos het.

Mijn vader was eerst woedend. Ik geloof dat ik hem nog nooit zo kwaad heb meegemaakt. Hij zei ook allemaal dingen waar ik nog nooit aan had gedacht en die ik ook maar half begreep: dat ik hem te schande had gemaakt en dat zijn zoon een crimineel was. Een crimineel is toch een misdadiger? Ik was toch geen misdadiger? Wat zou de buurt wel van me zeggen en wat moest er van me terecht komen? Dat zei hij ook.

'Maar ik kon er toch niks aan doen?' schreeuwde ik plotseling.

'Niks aan doen?' schreeuwde mijn vader terug. 'Jij slam-pamper. Je had flinker op moeten treden! Je had ze van het begin af aan moeten laten merken dat ze dat soort geintjes niet met je konden uithalen. Maar jij hebt geen greintje moed!'

Ineens stond Roos op. 'Wát zeg je?' Ze schreeuwde niet maar ze sprak de woorden zó uit dat ze iedereen dwong om te luisteren. 'Geen moed? Durf jij te beweren dat Alex geen moed heeft? Wat denk jij dat die jongen heeft meegemaakt de afgelopen weken? Dat heeft hij in zijn eentje moeten verwerken.'

'Dat is zijn eigen schuld,' zei mijn vader. Hij liep naar de kast en schonk zichzelf een borrel in. 'Als hij me nodig heeft dan ben ik er voor hem, en zijn moeder ook!'

'O ja?' zei Roos. 'Nou . . . ik denk dat hij jullie nu hard nodig heeft.'

Zonder Roos had ik het nooit gered. Ze liet pap gewoon uitrazen en mam uitjammeren. Ze vertelde ook dat Evert en Lucas haar hadden overvallen en dat ze mij had ge-vraagd daar over te zwijgen. Al die tijd bleef ze dicht naast me zitten. Echt bang was ik toen niet meer want ik merkte wel dat paps boosheid het hoogtepunt had bereikt en nu langzaam afnam.

Papa en mama zijn samen met mij naar het politiebureau gegaan. Daar was ik nog nooit geweest. Eigenlijk vond ik het best spannend. In de hal hingen een heleboel aan-plakbiljetten waarop stond dat je wel tienduizend gul-den beloning kreeg als je de politie kon helpen bij het opsporen van misdadigers.

Er ging een schokje door me heen: zou de politie mij ook hebben gezocht? Ik dacht aan het berichtje in de krant. Zouden alle vrouwen die ik had beroofd aan de politie hebben doorgegeven dat ik blond ben en twaalf jaar?

's Avonds leek alles voorbij. Het was even na zevenen. Pap keek naar het sportprogramma op televisie. Ik was alleen boven op mijn kamer. De wulk had ik in de vensterbank gelegd. De zon scheen erop zodat hij glansde, wit en roodbruin.
Op het politiebureau had een rechercheur alles opgeschreven wat ik vertelde. Daarna mocht ik weg. Er zou iemand naar Evert en Lucas gaan om de zaak uit te zoeken. Later zou de politie ook weer contact met mij opnemen. Ik ging op mijn bed liggen en staarde naar het plafond. Roos was weer naar huis. Toen ze wegging had ze me omarmd, net zoals Hester dat had gedaan. 'Je vader en moeder hebben tijd nodig,' zei ze. 'Ze moeten het even verwerken, probeer dat te begrijpen.'
Ik wist nog steeds niet hoe het voor me zou aflopen, maar ik had al wel begrepen dat ik niet in de gevangenis terecht zou komen. Jongens van mijn leeftijd komen niet zo gauw in de gevangenis. Bovendien waren Evert en Lucas ook schuldig, misschien nog wel meer dan ik.
Ik bleef een poos zo liggen. Ik voelde me loom worden. Bijna viel ik in slaap, misschien sliep ik zelfs wel even. Ik hoorde een brommer, maar het duurde een paar seconden voordat het geluid goed tot me doordrong. Pas toen er werd gebeld, kwam ik snel mijn bed af en liep ik naar het raam. Ik zag de Zundapp van Lucas voor

ons huis. De haartjes op mijn armen gingen rechtovereind staan. Ik rende naar mijn kamerdeur en rukte die open. Mijn moeder was al in het halletje en opende juist de voordeur. 'Laat dat!' schreeuwde ik. 'Mam?' Laat dicht! Zij zijn het!'

Maar het was te laat. Terwijl mam zich omdraaide en omhoog keek naar mij, duwden Lucas en Evert tegen de voordeur. 'Waar is hij, de rotzak?' riep Lucas.

'Wat is dit?' stamelde mijn moeder.

'Hij is boven!' schreeuwde Evert.

Ik vloog terug mijn kamer in, draaide de deur op slot en duwde er met mijn volle gewicht tegen aan. Vanuit het halletje beneden klonk gestommel en glasgerinkel. Daarna hoorde ik stampende voetstappen op de trap. Ze vermoorden me, dacht ik.

Ik keek om me heen of iets zag wat ik voor de deur kon zetten.

Ze waren al op de overloop. Ik hoorde ze voor mijn deur.

'Zijn jullie helemaal gek geworden?' klonk luid de stem van mijn vader.

'Hij heeft ons verraden!' hoorde ik Evert schreeuwen.

'O ja?' zei mijn vader.

'Ja! Mijn moeder zegt dat de politie aan de deur is geweest!'

'Dat had al veel eerder moeten gebeuren,' schreeuwde pap. 'En nou naar beneden jullie!'

'Ik sla hem verrot!' riep Lucas.

Ik hoorde dat er werd gevochten. Ik stopte mijn vingers in mijn mond en beet op mijn nagels.

'Hou op, hou op!' gilde mijn moeder.

Ik hoorde dat er werd geslagen, gevloekt, gekreund. Er werd ergens mee gegooid. En ineens leek het net of er een knopje in mijn hoofd werd omgedraaid. Ik werd woedend. Ik opende mijn deur. Pap, Evert en Lucas rolden vechtend over de overloop. Brullend vloog ik er bovenop. Ik sloeg, ik schopte, ik beet. Bloed droop uit mijn neus, binnen een paar tellen zat mijn ene oog dicht. Ik ging maar door. Mijn handen deden pijn, mijn lip werd warm en dik. Ik spuugde bloed op de grond.

Plotseling pakte iemand me vast en schudde me door elkaar. 'Ophouden,' werd er geroepen. 'Hou op! Wat gebeurt hier allemaal?'

Toen pas zag ik dat er een paar agenten binnen waren gekomen.

Evert lag op de grond. Lucas leunde met zijn rug tegen de muur.

Pap pakte een zakdoek en duwde die tegen mijn bloedende neus. Hij wees naar Evert en Lucas. 'Die moet u hebben, agent,' zei hij. 'Die twee.'